narrativa • grijalbo

# LA CASA JUNTO AL RÍO

*narrativa* • *grijalbo*

# LA CASA JUNTO AL RÍO

## Elena Garro

*narrativa* • *grijalbo*

MÉXICO • BARCELONA • BUENOS AIRES

**LA CASA JUNTO AL RÍO**

© 1982, Elena Garro

D.R. © 1983 por EDITORIAL GRIJALBO, S.A. de C.V.
    Calz. San Bartolo Naucalpan núm. 282
    Argentina Poniente 11230
    Miguel Hidalgo, México, D.F.

SEGUNDA EDICIÓN

*Este libro no puede ser reproducido,*
*total o parcialmente,*
*sin autorización escrita del editor.*

ISBN 970-05-0280-5

IMPRESO EN MÉXICO

LAS TRAGEDIAS SE GESTAN muchos años antes de que ocurran. El germen trágico está en el principio de las generaciones y éstas, como los caballitos de las ferias, hacen la ronda alrededor del tiempo, pasan y nos señalan. Pasa Caín asesinando a Abel, y la quijada de burro permanece en su lugar inicial; pasa el incestuoso lecho de Edipo, y sus horribles ojos sacados de las órbitas; pasa Helena con el fruto de oro, premio a la belleza y origen de la guerra y pasa Job el castigado por su inocencia. Aparece Nerón fornicando y aspirando el humo del incendio que nunca afinará su lira y también pasa Cuauhtémoc de pie y prendido en su piragua y todos giran en la infinita ronda que nos refleja y engendra la tragedia. Y el tiempo circular e idéntico a sí mismo, como un espejo reflejando a otro espejo nos repite.

A veces la belleza de una abuela determina la muerte de sus nietos o la ruina de sus descendientes. Una mentira pesa durante generaciones y sus consecuencias son imprevistas e infinitas. Enfrentarse al reflejo del pasado produce el exacto pasado y buscar el origen de la derrota produce la antigua derrota. Consuelo lo sabía. Sin embargo, sólo le quedaba ir al encuentro del pasado remoto que estaba en su memoria. Si lograba encontrar los restos de la casa junto al río encontraría su presente, dejaría de ser sombra flotando en ciudades sin memoria. ¡Todos habían muerto! Sólo quedaba ella, perdida entre millones de desconocidos.

Consuelo era portadora de un germen extraño cuyo origen debía encontrar en la casa junto al río. Un germen que provocaba la curiosidad de los transeúntes de los huéspedes de los hostales, de los viajeros de los trenes y, en ese

7

momento, de los compañeros de viaje en el autobús que la llevaba a la búsqueda de la casa junto al río. Procuraba olvidar su equipaje voluminoso, que decía que viajaba con su casa a cuestas: "ocho cajas de libros, dos baúles, tres maletas", se repetía mientras soportaba las miradas ávidas de los viajeros.

Miró por la ventanilla, todo estaba igual: las montañas perfumadas, los helechos húmedos al pie de los castaños y de los manzanos, el brezo perfumado creciendo entre las rosas, los ríos plomizos como espejos líquidos sobre las lajas blancas. Las filas altas de los álamos girando en el sol cambiante de la tarde inexplicablemente campesina. Los pueblos aparecían muy abajo sobre el mar o muy altos sobre los pisos de las montañas. Los tejados rojizos o de piedra gris, anunciaban las edades y las categorías de las casas, de las iglesias, de los palacios y de los monasterios.

El chofer la miraba por el retrovisor y ella no se atrevía a preguntar los nombres olvidados de los pueblos que cruzaba. En su memoria sólo estaba la fotografía que presidió siempre a su casa de México: árboles amables envueltos en la niebla, un puente romano tendido sobre un río invisible y una casa desdibujada por las ramas y la bruma. Temía que aquella casa fantasmal no hubiera existido nunca.

Alguna vez en el tiempo un carricoche tirado por dos caballos fúnebres, trotó en medio de las sombras y la lluvia llevando a dos señores enlutados. Así se lo contaron de niña y así lo recordaba ella misma que también viajaba ya, en aquel carricoche. Este, se detuvo a la entrada del Monasterio de Valdediós y el Prior despertó a dos niños: José Antonio y Martín, para explicarles que acababan de quedar huérfanos. Con los ojos inmóviles por el horror y las rodillas adoloridas por el frío los niños hicieron el camino de regreso en compañía de los dos enlutados y atravesaron ráfagas de lluvia hasta llegar a su casa para llevarlos luego a donde el tío y la tía, que ahora también estaban muertos. El trote nocturno que marchaba junto a ella determinó su destino. La repentina muerte de su abuelo sacó a su padre y a su tío del Monasterio. "Si él no hubiera muerto mi padre hubiera sido fraile, yo no hubiera nacido y no iría en este autobús", se dijo y recordó el viaje en el carricoche nocturno y escuchó a los caballos y miró a los enlutados de barbas bien cuidadas. Las ramas olorosas ocultaban a las ramas del duelo y a las otras, a las de la huída, rotas por la metralla y amenazadas por el incendio y Consuelo supo que siempre fueron las mismas ramas.

La luz de la tarde ocultaba con simpleza aquella noche lejana de su infancia. Su padre dijo: "Hay que sacar a estas niñas de España". Su madre contestó: "Volverán cuando pase esto . . . " Su hermana menor se cubrió la cara con las manos. Sólo le quedaban imágenes sueltas, fijas como fotografías; y una y otra vez se repetían sin dar la clave de lo sucedido. "México, México, México . . .", repitió varias veces. Allí murieron sus padres y su hermana. No tenía a nadie en el mundo y le era necesario buscar las huellas de la casa junto al río. Era un detective del pasado que buscaba sombras que le dieran la clave de su derrota. Cruzaría el tiempo para hablar con sus abuelos muertos. Era una paria. En ambos lados del océano era extranjera y sospechosa. Había huído a México, y después había huído de México. Su pasado era una sucesión de casas extrañas, rostros desconocidos y palabras no pronunciadas. No tenía absolutamente nada qué decir a los vivos. Todos los seres de este mundo le producían terror y para esconderse de ellos, buscaba a los otros, a los muertos. Dejó de pensar en los muertos de México, para concentrarse en los muertos de España, ellos le darían la deseada compañía y la anhelada respuesta.

El autobús hizo una curva inesperada y Consuelo se

9

encontró frente al puente romano. Ansiosa, buscó la casa junto al río y en su lugar vio unos pilones de cemento armado. "La echaron abajo", se dijo. "Nadie la derribó, nunca existió esa casa junto al río . . . " se dijo, tratando de salir del engaño en el que vivió siempre. Cruzó un puente moderno que era la prolongación de la carretera y el autobús entró en un pueblo desconocido. "Tal vez se incendió completamente", pensó. Sus padres la libraron de la muerte aquella noche, aunque la muerte sólo es cruzar la frontera maravillosa oculta en una habitación, un camino, en la mitad del mar, en una iglesia o en una confitería, ya que cualquier lugar es válido para morir. En todo caso, aquella noche infantil ella no cruzó la maravillosa frontera. El autobús se detuvo frente a un café de puertas amarillas. Los viajeros bajaron atropellándose y permanecieron en la acera para contemplar su equipaje. Consuelo se sintió una intrusa mirada por todos. — Un taxi . . .

—El hostal está a dos pasos —y un coro de carcajadas acogió su demanda.

El pueblo se congregó ante sus baúles viejos, sus cajas de libros y sus maletas. Consuelo abandonó su equipaje y se dirigió al hostal situado en la esquina de la calle.

El hostal tenía el aire modesto de un caserón de la Colonia Industrial en México: terraza de cemento, ventanales de vidrios empañados, un vestíbulo de colores violentos y, al fondo, un bar barato de gusto cinematográfico. Allí un grupo de mujeres viejas y maquilladas jugaba a las cartas. Dejaron caer las barajas para observarla de arriba abajo. Nadie le dio las buenas tardes. Amparo, la dueña del hostal, se puso de pie con esfuerzo y se encaró a Consuelo, con sus ojos miopes tras los gruesos lentes de sus gafas.

—¿Hay alguna habitación? . . . Con baño, por favor. Amparo guardó silencio. No le apetecía concederle un cuarto a la desconocida. La temporada había terminado y en el hostal sólo quedaban los "fijos" y los viajeros que iban de paso. La desconocida parecía tener intenciones de pasar allí una larga temporada.

—Hay una habitación sin baño . . . ¿A nombre de quién? —preguntó Amparo.

—Consuelo Veronda.

Amparo permaneció tranquila. "No será de ellos", pensó, mientras las jugadoras repitieron el nombre de Consuelo en voz muy baja. Por la puerta abierta que se encontraba detrás del bar, apareció la cabeza calva de Perico, con las mismas gafas gruesas que llevaba Amparo, y ordenó de prisa recoger el equipaje abandonado sobre la acera. También él se acercó a Consuelo.

—Usted estuvo en Covadonga hace tres años —dijo sonriendo.

Consuelo lo miró sorprendida y negó con la cabeza. Amparo y Perico repitieron:

—Sí, sí, la última vez que estuvo usted en Covadonga fue hace tres años.

—Era mi hermana —dijo Consuelo.

Estela, su hermana, había ido a Covadonga varias veces. La última visita la realizó tres años atrás y aquella gente pacífica no sabía contar el tiempo. Las jugadoras la observaron con descaro. Hubo una pausa y Amparo la condujo a un cuarto estrecho provisto de un lavabo y de una cama de hierro. Juanín, un chico rubio, colocó su equipaje. Una vez a solas, encerrada en la habitación, Consuelo se sintió inútil. La ventana daba a una calle estrecha que no reconoció. Enfrente había un edificio de ladrillos y de todas las ventanas la espiaban hombres en mangas de camisa y mujeres de rostros severos. Bajó la persiana. Encerrada en la humedad del cuarto se preguntó si había hecho bien en volver al pasado. También se preguntó si ese era el pasado.

La noticia de su llegada corrió por el pueblo. Las mujeres abandonaron sus casas para acudir al hostal. Las mesillas del bar-vestíbulo, cubiertas con manteles a cuadros naranjas y blancos, se ocuparon con vecinos que ordenaron café y sidra.

— ¡Llegaron ellos! . . . ¡Los de México!

— ¡Vaya mala suerte! —exclamó Rosa, la maestra de arte, que hablaba con autoridad.

Era un problema que debían resolver entre todos. Amparo olvidó preguntar a la viajera por cuánto tiempo venía al pueblo. El carnet de identidad de Consuelo, pasó de mano a mano. Parecía legal y ante lo inobjetable optaron por esperar la llegada de Concha y Adelina. La hermanas entraron con paso grave y examinaron el carnet.

—Es la misma que estuvo en Covadonga —afirmaron.

—Debemos esperar a que llegue Ramiro —dictó Rosa.

Mientras llegaba Ramiro, lo más prudente era sonreir y tratar de conocer las intenciones de Consuelo.

— ¡Justamente ahora tenía que volver uno de México! —exclamó Concha, disgustada.

Ante el silencio de sus amigos, Concha fijó sus ojos de un azul helado en el vacío. Su hermana Adelina quiso continuar la charla, pero el grupo entero juzgó peligroso prolongar la reunión. Consuelo podía sorprenderlos. El bar-vestíbulo recuperó su aire inocente con sus viejas jugadoras de cartas en sus lugares habituales y Juanín detrás del bar.

Una vecina llamó con los nudillos en los vidrios de la ventana de Ramona, y le indicó con señas que Consuelo continuaba encerrada en su cuarto. Ramona se aferró a su tricot negro, se retorció las enormes manos y se volvió a Pablo, su marido, que escupió una maldición.

— ¡Odio la palabra México! —agregó el anciano, mirando a su mujer con ojos iracundos.

Ramona pareció consternada: ella, la pobre, ¿qué podía hacer sino esperar la vuelta de Ramirín? Eulogio, su otro hijo, guardó silencio, se miró las manos inútiles y agachó la cabeza. El viejo Pablo le lanzó una mirada despectiva: sólo servía para beber sidra y repartir carbón. ¡Y con el maldito gas butano cada vez repartía menos!

—¿Cómo es? —preguntó el viejo haciendo un esfuerzo.

—Concha y Amparo dicen que se parece a doña Adelina —contestó Ramona.

—¡Bah! Habrá que investigarla. ¿Quién puede asegurarme que realmente es una Veronda?

La cocina pequeña se convirtió en un campo de batalla de pensamientos encontrados. El calor de la estufa era insuficiente para ahuyentar a las sombras heladas que entraron por la puerta que comunicaba con el pasillo estrecho. Era necesario descubrir el motivo del regreso de Consuelo.

La vecina llamó otra vez con los nudillos en el vidrio de la ventana y avisó que la forastera caminaba hacia el puente romano. Ramona se ajustó el tricot negro y salió corriendo. Era muy ágil y corría sin hacer ruido.

Consuelo caminó al tiempo que miraba las fachadas de las casas, muchas de las cuales eran modernas. Tuvo la impresión de que el pueblo se había vuelto muy pequeño y de que estaba poblado por seres inesperados de camisas a cuadros y pantalones excesivamente estrechos. En unos minutos llegó al puente ancho y moderno. A la izquierda estaba el puente romano, apenas visible entre las sombras y la niebla. Su silueta familiar la recibió con una alegría mezclada de tristeza. Contempló su curva ascendente de piedra antiquísima, cubierta de enredaderas y de hierbas. La naturaleza lo había decorado con guirnaldas, y hasta ella llegó el perfume de las madreselvas. El puente romano invitaba a atravesarlo, era un arco de triunfo, y empezó a subirlo. Alguien la llamó por su nombre: "¡Consuelo! . . . ¡Consuelo!" Se detuvo sobrecogida, se apoyó en el pretil y escuchó a la noche oscura mecida por las ramas de manzanos. Del otro lado del puente romano existía el país de la bruma, los huertos de castaños, los caminos de helechos, los manzanos, los macizos de rosas y el aire leve y aromatizado. Desde donde se encontraba apenas pudo divisarlo. Su nombre misteriosamente pronunciado la detuvo, y entonces contempló el lugar cubierto de silencio y recogido en perfumes. Abajo corría el río formando espumas blancas; su humedad iluminaba la noche llena de neblina. La voz volvió a llamarla: "¡Consuelo! . . . ¡Consuelo!". Decidió no seguir adelante y bajó para regresar al puente nuevo. Tuvo la sensación de que la acechaba algo adverso. De repente, frente a ella apareció la casa junto al río, brillando como una gran rosa marchita, encerrada en rejas despintadas. Consuelo se agarró de sus barrotes gruesos.

—¿Qué hace? —le preguntó un desconocido.

—Mis abuelos y mis padres eran de aquí y yo . . .

—Sí, ¿usted qué hace, de dónde es? —le preguntó el hombre con brutalidad.

—¿Yo? . . . de ninguna parte . . .

El hombre, metido en una cazadora a cuadros, tenía algo amenazador por lo que prefirió volver de prisa al hostal. Reconoció su albergue cuando vio a través de los vidrios de la terraza a las jugadoras que la miraban con rostros de mariposas nocturnas y maléficas.

En el comedor, desolado como el de una estación de trenes de tercera clase, Perico le indicó una mesa pequeña, vecina a la que ocupaban Amparo y él. Los huéspedes, repartidos en las mesas, no le quitaban los ojos de encima, mientras ella comió la sopa de letras, las judías blancas, la carne y el flan, sin levantar la vista de su plato. En el cuarto de la televisión se sintió incómoda; en una esquina, detrás de una registradora, una chica de cabello teñido de rubio la miraba con descaro, por lo que prefirió la humedad de su habitación.

Despertó varias veces sintiendo que la rodeaba un peligro. Cuando por la mañana bajó a desayunar, al pie de la escalera la esperaba Amparo.

—No ha preguntado usted por su familia —dijo la mujer con una sonrisa equívoca.

Estupefacta, Consuelo contempló los ojos de batracio ocultos detrás de las gafas y la boca larga parecida a las de las ranas. Amparo se dejó contemplar, cogió el teléfono colocado sobre una mesita y marcó un número.

—¿Veronda? . . . Sí, aquí está Consuelo, tu pariente . . . sí, viene de México . . .

Consuelo la escuchó asombrada. La mujer colgó el aparato y anunció:

—Ahora mismo viene. Ayer no le dije nada, pensé que usted preguntaría por ellos. Su familia es muy conocida . . . ¡Qué! Se ha quedado usted de piedra . . .

Consuelo se encontró sentada en el vestíbulo, acompañada de Pablo y de Ramona. Se sentía incómoda ante aquel anciano envuelto en un gabán sucio y ojos ávidos. Su mujer tenía ojos afiebrados y manos enormes y huesudas y Consuelo no podía apartar la vista de aquellos dedos temibles.

—No los recuerdo . . . —dijo.

—Vamos a ver, ¿por qué es usted Veronda? —preguntó el anciano, con voz disgustada.

—Porque soy hija de Martín Veronda y sobrina de José Antonio y de Adelina Veronda. Anoche pasé frente a la casa junto al río . . ., la casa de mi tía. ¡Está muy sola, muy abandonada!

—Esa casa es del Ayuntamiento. Por la tarde le mostraremos todo lo que nos perteneció.

—Mi tía legó todo a la iglesia. No sabía que el Ayuntamiento hubiera comprado la casa . . . —dijo ella.

—¡Es del Ayuntamiento! ¡Todo es del Ayuntamiento! —repitió Pablo, con sequedad.

—¡Que día tan grande para Pablo! Esperó tantos años la vuelta de su familia de México . . . —suspiró Ramona, fijando sus ojos negros y afiebrados en Consuelo.

—¡Conozco muy bien México! —afirmó Pablo, con voz amenazadora.

Algunos huéspedes contemplaban al grupo con avidez. Fue Pablo quien se puso de pie. Se apoyaba en un bastón, iba en pantuflas y se diría que apenas podía dar paso.

—Vamos a casa. ¡Venga usted con nosotros! —ordenó a Consuelo.

Dieron vuelta en la esquina del hostal y tomaron la callejuela a la que daba la ventana del cuarto de Consuelo. La casa de Pablo estaba allí mismo, en un callejón escondido. Era muy antigua, de entrada estrecha, de donde partía una escalera empinada que llevaba al segundo piso. Se instalaron en el minúsculo comedor, vecino a la cocina, alrededor de una mesa cubierta por un tapiz fabricado en serie. Los dos la observaron en silencio, como si midieran fuerzas con la intrusa. Ella, en cambio, prefirió observar la acumulación de objetos dispares que había en aquel comedor de luz escasa y techo bajo. De un muro, colgaba un gran retrato de mujer pintado al óleo, y en el muro opuesto otro cuadro igual con un hombre de barba recortada.

—¡Tía Adelina y el abuelo! —exclamó Consuelo.

—Sí, ahí tiene usted a mi abuelo y a mi tía —afirmó el anciano.

Consuelo escuchó sus palabras e iba a contradecirlo: su abuelo no podía ser el abuelo de aquel anciano vidrioso y hostil. Las edades no coincidían. Pablo le arrebató la palabra:

—Usted y yo somos primos hermanos. Usted sabe que mi abuelo tuvo muchos hijos: Ramiro, Eulogio, Alfonso, Antonina, Lolina y . . . su padre.

El viejo se detuvo para observar el efecto de sus palabras, y Consuelo guardó silencio ante aquel torrente de nombres desconocidos. Debía existir algún error. Ramona revolvió en un cajón y sacó algunas fotografías, y con un gesto infinitamente humilde se las tendió a la visitante: eran su tío José Antonio y su tía Adelina. Las fotografías estaban manchadas de humedad. Se diría que el agua había borrado sus esquinas. No supo qué decir; se sentía cohibida entre aquellos dos personajes. "¿Quiénes son?", se preguntó inquieta. Le ofrecieron varias copas de anís y unas tajadas de jamón.

—Esta jarrita de plata era de doña Adelina—dijo Ramona.

—De tía Adelina —corrigió Pablo.

—No entiendo nuestro parentesco. ¿Somos primos? —preguntó Consuelo.

— ¡Exactamente! Usted es la hija de tío Martín —respondió el anciano.

¡No era posible! Pablo era más viejo que su padre; pero Consuelo guardó silencio. El aire frío de la calle no le disipó las náuseas producidas por el anís y el jamón helado. Nunca había oído nombrar a aquellos parientes y le pareció imposible que aquel anciano fuera sobrino de su padre. Estaba tan confusa. Las rosas del otoño le recordaron su infancia con una precisión aterradora; supo entonces que el viejo Pablo mentía. Los vecinos espiaron su paso desde los miradores de madera y cristal adornados con tiestos con geranios. ¡Era un error haber regresado al pueblo!

Por la tarde Ramona se presentó acompañada de un hombrón de más de cuarenta años. El hombrón la llamó "tía" y Consuelo no pudo dejar de sonreir frente a aquel sujeto llamado Eulogio, que vestía un tricot de color rosa. La chica del cabello teñido de rubio la miraba desafiante desde la barra y su silueta gorda se reflejaba en el espejo del bar.

Acompañada de Eulogio y de Ramona, dio una vuelta por el pueblo. Al pasar junto al Banco, Ramona explicó con deleite:

—Aquí, en el Banco, trabaja Ramirín . . .

Eulogio le explicó que Ramirín era su hermano. Se dio cuenta de que la llevaban hacia la casa junto al río y ella apenas se atrevió a contemplar su jardín abandonado y la enorme huerta que daba al río por la parte posterior de la casa, precisamente donde el río hacía una curva pronunciada. Le echó una mirada a la galería de cristal que unía a la casa con la capilla y se guardó de decir una sola palabra. Ramona siguió su mirada.

—La capilla está cerrada. Todo se perdió con la guerra —dijo la mujer, dando un suspiro.

—¿Y tía Adelina, cuándo murió? —preguntó Consuelo.

Sus padres habían muerto sin obtener ninguna carta o noticia de los familiares que habían quedado en España. Recordó que tiempo después recibieron dos o tres cartas en que les advertían que era mejor no regresar al pueblo. Por eso, Estela, cuando iba a Covadonga, evitaba detenerse allí.

—¿Qué cuándo murió? . . . ¡Yo que sé! Eso ocurrió mucho antes de que Pablo y yo nos casáramos . . . Con el sol de la tarde, Ramona parecía un árbol viejo y nudoso. Un árbol negro plantado en medio de la luz. Ramona tenía algo amenazador. Su hijo Eulogio bajó la cabeza. Consuelo señaló las gradas de piedra que llevaban a la terraza de entrada de la casa situada muy atrás de las rejas despintadas que guardaban el jardín.

—Yo estaba sentada ahí antes del incendio . . . —dijo.

—La Capilla es almacén de granos —contestó Eulogio.

Se alejaron y ella notó que la madre y el hijo evitaron tomar la calle perpendicular que llevaba a la casa de su tío José Antonio. Sólo vio las espaldas de esa casa: el jardín estaba destrozado y los vidrios de los miradores rotos. Subieron una calle minúscula flanqueda por edificios modernos y cerrada al fondo por la escalinata de un palacio en ruinas. Sobre el portón de entrada había un escudo labrado en la piedra. "Sus parientes" se echaron a reir al verla perpleja delante del palacio que anunciaba grandezas pasadas. Subieron la escalinata y entraron en un vestíbulo de muros pintados de azul negro. Del lado derecho partía una escalera enorme de madera astillada. Sus muros altísimos mostraban grietas y grandes manchas de humedad. Subieron en silencio los escalones tendidos que crujían bajo sus pies. Era asombroso el silencio y el abandono del palacio. No había nadie, excepto ellos, subiendo la escalera. En el primer descanso se encontraron entre dos puertas, cada una abierta en los muros opuestos. Sobre la puerta de la izquierda colgaba un letrero casi borrado: "Juventudes" Eulogio abrió la puerta y la hizo entrar en un salón que abarcaba toda la fachada del palacio. Las duelas estaban rotas y las ventanas, alguna vez fastuosas, carecían de cristales. Tirados en el suelo había algunos cartelones y algunas sillas viejas. En un rincón aparecía un camastro. Eulogio se echó a reír y de pronto aquel hombrón, de espaldas caídas metidas en el tricot color rosa, le dio miedo. ¡Nada la unía a él! Ramona no entró en el salón abandonado, hasta allí llegó su voz llamando:

—¡Severina! . . . ¡Severina!

Ramona entró en el salón acompañada de una mujer gruesa, baja de estatura, vestida de negro, que avanzó hacia ella sonriendo. La mujer tenía los brazos rojizos y rugosos, iguales a su enorme rostro, coronado de cabellos rubios.

—¡Rica! . . . ¡Cuánto tiempo tardaste en volver! —exclamó la vieja.

Consuelo hizo un esfuerzo por reconocerla, mientras se dejaba abrazar y besar por Severina, que se enjugó algunas lágrimas. Ramona la tomó del brazo.

—¡Anda, vamos! . . .

Salieron al descanso de la escalera y Severina escogió una llave enorme de entre las llaves que colgaban de su cintura, y se dirigió a la puerta opuesta a la de "Juventudes". Esta puerta era de hierro negro y la mujer la abrió con un chirriar de cerrojos oxidados. Ante ellos se abrió una enorme boca negra cruzada de pasillos colgantes y estrechos, también de hierro negro. El aire del lugar estaba quieto y abajo de los puentecillos, un mundo negro y profundo mostraba puertas de hierro cerradas herméticamente, como cajas fuertes. Severina avanzó por uno de los pasillos colgantes y los tres la siguieron. Llegaron al otro lado y Eulogio se inclinó a su oído y le preguntó:

—¿Te gusta? Es la cárcel.

Consuelo no entendió nada, sino que se dejó invadir por el miedo y el frío que reinaban en el lugar. Se dejó conducir a las celdas de muros de piedra pintados en color violeta oscura, que carecían de puertas. Presos desconocidos habían dejado mensajes sentimentales u obscenos en los muros. Las celdas eran heladas y grandes. Ramona se colgó de su brazo y la miró con ojos afiebrados.

—¿Ya ves?, es la cárcel y Severina es la carcelera —dijo.

—¿Cuántos presos hay? —preguntó asustada.

—¡Ninguno! Hace ya muchos años que la cárcel está vacía —contestó Severina.

Severina parecía un duende viejo y bondadoso a pesar de su oficio. Ramona brillaba como un carbón en aquel infierno negro y Eulogio tenía un aire dichoso. De sus ojos escondidos entre las cejas y las espesas pestañas brotaban chispas de malicia. Volvieron a los pasillos colgantes. Severina iba a la cabeza y avanzó con decisión por el puentecillo que colgaba sobre el pozo negro. De pronto se detuvo.

—Eso que ves abajo, rica, es "Siberia". En esas celdas encerraban a los presos y por las noches abrían las puertas y los sacaban para matarlos. Los llevaban por ese portón grande —dijo, señalando una puerta de salida al exterior del palacio.

Consuelo se inclinó para ver la hilera de puertas de hierro que formaban un muro entero de "cajas fuertes" y sintió miedo.

—¡Marchémonos! . . . ¡Marchémonos! . . . —gritó Ramona, a sus espaldas.

20

—Es "Siberia". La construyeron los rojos. El primero que ocupó una celda fue el Padre Fana. ¿Lo recuerdas? Era el canónigo que decía la misa en la capilla de tu tía Adelina. ¡Por ahí lo sacaron! Fue el primer muerto.

—Me da miedo este lugar —gimió Ramona.

Severina no cedió el paso, quieta en el puentecillo colgante señalaba "Siberia", con su mano rojiza.

—¿Lo mataron? —preguntó Consuelo, aterrada.

—¿No lo sabías, rica? —preguntó Severina.

—Después mataron los Azules —corrigió Ramona.

—¿Quién mató más? —preguntó Consuelo.

—¡Coime! ... ¡Cágome en Deu! —gritó Eulogio.

—Los dos bandos, los rojos y los azules —dijo Ramona.

—¡No, Ramona, no! Mataron más los rojos. Tú lo sabes. "Siberia" se llenaba todas la noches y todas las noches quedaba vacía ...

—¡Paso! ... ¡Paso! —gritó Ramona, retorciéndose las huesudas manos.

De "Siberia" subía un frío helado que congelaba los barrotes de hierro del puentecillo colgante. Consuelo se sintió suspendida sobre un infierno imprevisto, y trató de no ver a sus familiares.

—¡Por ahí, por ahí sacaron al probín! —insistió Severina.

La claridad de la calle los recibió sin alegría. Los miradores de cristales, madera y geranios acechaban su paso y el viento llegaba de las montañas, oloroso a brezo. "Fue el primero ... ", se repitió Consuelo y se preguntó por qué aquellos dos personajes la llevaron a visitar "Siberia" y por qué no le dijeron antes nada sobre la muerte del Padre Fana.

—¿Te gustó la cárcel? —le preguntó Eulogio.

Se hallaban frente a una iglesia de piedra rosa, que le recordó las iglesias modernas de México. Ramona se detuvo y le mostró bajo el pórtico, y colocado dentro de un nicho, el busto de piedra de un hombre de rostro vil. Consuelo lo miró con disgusto.

—Era más bueno que el pan. Antes aquí sólo había casucas. ¿Recuerdas? El construyó la iglesia, con su dinero. —La voz de Ramona revelaba veneración por aquel busto de piedra.

En el camino a la confitería, Consuelo supo que la aparente inocencia de los miradores, los tiestos y la nubes altas, encerraban un misterio tenebroso. El chocolate que le sirvieron en la confitería era espeso y la conversación languidecía. Se produjo una pequeña conmoción cuando entraron Concha y Adelina vestidas para ir a la iglesia.

—Son Concha y Adelina, tus sobrinas —le dijo Ramona a Consuelo.

Las dos mujeres se sentaron a su mesa e inmediatamente hablaron de su bisabuelo, que era el abuelo de Consuelo. "Es increíble que sea su bisabuelo, si tienen mi misma edad . . . ", pensó ella.

—Son las hijas de Alfonso, el hermano de Pablo —aclaró Ramona.

—¿Hermanos de mi padre? —preguntó Consuelo sonrojándose.

La invitaron al piso de Concha, que se encontraba en un edificio junto al hostal. Los muebles forrados de terciopelo azul pavo con dibujos pesados, las gacelas de porcelana fabricadas en serie, las flores de papel, los cuadros sacados de los calendarios y las pequeñas repisas, cubiertas de juguetes baratos, le recordaron a Consuelo las casas de las costureras de México. Los rostros de Concha, Adelina y Eulogio permanecían extraños a los de su padre y de sus tíos, Adelina y José Antonio.

La dejaron ir muy tarde. El pueblo estaba solo y apagado. La puerta del hostal estaba abierta. Consuelo no encontró el botón de la luz, subió la escalera a tientas y se confundió en la oscuridad de los pasillos. Cuando logró encontrar la puerta de su cuarto, la llave no giró en la cerradura. Era evidente que el hostal estaba vacío. Buscó la salida en aquel laberinto, bajó la escalera y volvió a encontrarse en la puerta de salida. Todos dormían. La calle estaba silenciosa. En la contraesquina vio un letrero apagado: "Saltillo". Era el nombre de un café ya cerrado. ¡Un nombre mexicano! Recordó el norte de aquel país del que se había ido. Vio desiertos y montañas gigantes, y se sintió aplastada. ¡Debo olvidar todo! Y ahora ¿por qué Saltillo?

—¿No duerme? —preguntó una voz gruesa.

La voz pertenecía a la chica del cabello teñido que yacía escondida entre las sombras de la terraza.

—¡Sígame! —ordenó con su voz de vieja.

Atravesaron los pasillos apagados y al final de uno de ellos la chica se detuvo, abrió la última puerta, encendió la luz y dijo con cinismo.

—Esta es su nueva habitación. Aquí tiene la llave.

—¡Gracias! ¿Cómo te llamas?

—Consuelo —contestó al mismo tiempo que abría la puerta vecina a la suya y se metía en su cuarto dando un portazo. ¿Quién era aquella chica que llevaba su nombre y vivía en el cuarto vecino?

La nueva habitación tenía cuarto de baño, pero de los grifos no salía agua. Su equipaje estaba en orden. Se echó a dormir para olvidar la extraña jornada. Las sábanas húmedas y el recuerdo de "Siberia" le llegó como un viento helado. Recordó a Severina y tuvo la impresión de estar en aquel infierno negro.

Por la tarde, sus sobrinas Concha y Adelina, la esperaron al pie de la escalera. Adelina la cogió del brazo y la llevó a un rincón.

—¿No tienes miedo de que te maten los rojos en ese cuarto tan solo? ¡Tú eres azul! —le dijo.

—No, no tengo ningún miedo —afirmó asustada, ante el gesto imprevisto de la sobrina.

Concha sonrió. Sus ojos azules no reían. Vestía un traje negro y se cubría los hombros con un tápalo también negro.

—En este pueblo hay muchos rojos —afirmó.

En la calle decidieron ir andando a Peña. Eran los últimos días del otoño y pronto la lluvia impediría las caminatas. Tomaron la carretera estrecha y solitaria. Los prados verdes, sembrados de manzanos, y las tardes, eran apacibles. El río corría entre la verdura olorosa y de sus aguas se desprendía una ligera neblina. Estaban rodeadas de montañas, el cielo era un cono azul que absorbía los vapores verdes de la tierra. Adelina comía "pipas". De cuando en cuando pasaban automóviles a toda velocidad, casi rodolas. Consuelo estimó curioso que tanto los autos que iban como los que venían tenían el mismo color marrón y solo llevaban un viajero: el chofer.

—¡Es el mismo automóvil! —exclamó.

—¡Qué va! Son coches que van a Peña y vuelven —le contestó Adelina.

Consuelo no le creyó. Había visto que siempre era el mismo automóvil, de ida y de vuelta. Las casas esparcidas a lo largo de la carretera las miraban pasar con indiferencia. Eran casas campesinas y ordenadas. Algunos aldeanos daban las "Buenas tardes". Antes de llegar a Peña, Concha se detuvo frente a una casa muy aislada.

—Esta es la casa de los padres de Ramona —miró pensativa y se volvió a Consuelo.

La casa era muy grande y estaba sucia; los árboles mutilados y en la puerta una mujer vieja y de rostro hostil las miró disgustada. Sobre su frente oscura permanecía quieta una mosca. A través de la puerta abierta se veía el interior sucio y desordenado. Un aire inquietante la envolvía. Podría decirse que la casa estaba separada de las otras casas por un signo infame. El aire quieto y el silencio que la envolvían, olía a palabras terribles. Concha parecía fascinada. Adelina siguió comiendo "pipas" y Consuelo rehusó enfrentar su mirada a la de aquella mujer oscura que se cubría la cabeza con un pañuelo negro y sobre cuya

24

frente continuaba quieta la mosca. Quiso irse. Echaron a andar seguidas por lo ojos de la vieja de rostro agorero.

Un poco más lejos, Concha salió de la carretera y tomó un sendero casi cubierto por hierbas olorosas. Consuelo la siguió. Se aproximaban al estruendo de una cascada. Se encontraron frente a una catarata y un lago azul de aguas tumultuosas. En el centro de los remolinos se erguía un islote de rocas blancas. Un pasadizo hecho de rocas desiguales servía para llegar allí. El agua se abría paso en corrientes violentas, para luego correr por un amplio río cuyas orillas estaban bordeadas de árboles frondosos. A lo lejos descubrió un enorme edificio de piedra gris.

—La Central Eléctrica —dijo Concha, señalando hacia el edificio.

Las dos estaban solas. El ruido del agua producía una música agradable y húmeda. Consuelo se sentó en una roca de la orilla para escuchar el estrépido de la cascada.

—Vamos al islote, allí donde pescaba Franco —propuso Concha, tendiéndole la mano.

Consuelo vio las uñas manicuradas y los ojos azules que la invitaban, pero no se movió. No, no iría al lugar donde pescaba Franco. Concha se aventuró sola por el pasadizo de rocas desiguales y desde lejos tendió nuevamente la mano.

—¡Ven!...

Había algo maléfico en su llamada. La soledad era perfecta y la figura pequeña y negra de Concha se recortaba extraña sobre las rocas y la espuma blanca. El cielo era muy azul. "¡Ven!", repitió nuevamente la mujer de negro. Consuelo contempló su figura. Tenía la cabeza demasiado grande y las piernas excesivamente cortas. Las desproporciones físicas le producían inquietud. Además, aquella silueta enlutada no era su sobrina, tampoco era su prima y su invitación en aquellas soledades era desagradable. Bastaba un paso en falso, un ligero empellón para caer en los remolinos de aguas heladas ... Al cabo de un rato, Concha volvió a su lado.

—El año pasado ya no vino Franco . . . —dijo, pensativa.

En la carretera las esperaba Adelina y las tres entraron en una taberna a tomar sidra. El olor agridulce devolvió a Consuelo imágenes perdidas de su infancia.

—Una peluquera fue a México y te conoció. ¿La recuerdas? Su padre era madreñero —dijo Adelina.

—¿La Remedios? —preguntó Consuelo.

—¡Mira qué pronto la recordó!, ahora está internada en el manicomio municipal de Irún. Volvióse loca —explicó Concha, con frialdad.

—Era roja perdida. Casóse con un mexicano. Volvió al pueblo, vestíase muy raro, sentábase en un café y nadie le hablaba. ¡Hasta que aprendió a no volver jamás!

Consuelo comprendió que no debía haber vuelto ¡jamás! Encendió un cigarrillo. Caminaba días incoloros en espera de la última página de su calendario privado. La Consuelo de México ya no existía y la Consuelo del pueblo murió la noche del incendio, cuando sus padres trataron de salvarla, huyendo. En la taberna un hombre leía un diario en que aparecía con grandes titulares: "El Otoño Caliente". Recordó que existía la política y se supo extranjera entre aquellas gentes.

Por la noche fue al café "Saltillo". Llovía a torrentes y llegó empapada al ruidoso lugar. Buscó la última mesa y se sentó deseando que nadie notara su presencia. Dos hombres le lanzaron miradas por encima del hombro y dijeron en voz muy alta: "la inglesa", "¡la mexicana!". Y ambos le volvieron la espalda. En México la llamaban "gachupina" cuando se enfadaban. Observó a los dos desconocios: uno era grueso, de espaldas blandas, tricot color ladrillo y gafas verdosas. El otro era flaco, con pantalones verdes y cazadora usada. Afuera la lluvia lavaba los tejados y Consuelo prefirió la calle a estar bajo los ojos de aquellos dos parroquianos hostiles.

Mientras tomaba el desayuno, Amparo la invitó a ir al

26

Ayuntamiento a ver los cuadros de un pintor que había cobrado fama. Consuelo se sintió invadida por un sentimiento de dulzura y aceptó de buen grado. La mañana era radiante. Subieron los escalones del Ayuntamiento, que había permanecido intacto, y un ujier de uniforme las condujo al Salón de los Cabildos. El salón era amplio, con cortinajes rojos, mesa enorme y sillones de respaldo alto. De los muros inmaculados colgaban numerosos cuadros que Consuelo ya había visto. Estaban pintados por el mismo artista que pintó a su abuelo y a su tía Adelina. ¿Por qué estaban allí?

—¿Recuerdan a mi tía Adelina?

Amparo y el ujier guardaron silencio y ella vio un juego de miradas entre los dos. Repitió la pregunta.

—¡Ah!, la tía aquella que usaba peluca, se ponía polvos blancos y cejas postizas --contestó el ujier, echándose a reir.

—Sí, es verdad . . . cuando cruzaba la galería para ir a la capilla daba miedo. Apenas la recuerdo —comentó Amparo.

Consuelo enrojeció de ira. No entendió por qué deseaban ofenderla calumniando a su tía. El hombre debería andar en los sesenta años, mientras que Amparo pasaba ya esa edad. Ambos se negaban a darle noticias sobre su tía. Cambió el tema.

—¿Recuerdan a una chica muy guapa?, se llamaba Marta. Una vez la vi en México. . .

—¡Roja perdida! Esa era una adelantada, estaría bien ahora —contestó el ujier, muy animado.

—¡Muy guapa! . . ¡Muy inteligente! Fue de mi tiempo —contestó Amparo.

La invadió un rencor desconocido. Los dos personajes querían confundirla o insultarla. Recordaban a Marta e ignoraban e insultaban a su tía. No entendió por qué le mostraban los cuadros de Zamora y quiso volver a la calle. Había cometido un error al buscar el pasado, y ahora carecía de dinero para abandonar el pueblo. Tenía todo el día por delante y ningún lugar adonde ir. Amparo regresó al hostal y ella echó a andar hacia la casa junto al río. La detuvo Ramona, traía el gesto descompuesto, la tomó del brazo y la llevó a su casa. En la cocina esperaba Pablo, enfundado en su sucio gabán. El hombre la miró con severidad.

—¡No hable usted de política, jamás, jamás! —ordenó el viejo.

Consuelo nunca había hablado de política, ni siquiera cuando la llevaron a "Siberia". Iba a protestar cuando vio que Pablo se inclinaba peligrosamente.

—¡Ayúdenme!. . me siento mal, muy mal —gimió el anciano.

Las mujeres le ayudaron a subir la escalera estrecha y empinada, luego lo llevaron a una habitación de techo bajo, provista de una ventana que apenas permitía la entrada de la luz. El aire estaba enrarecido. Pablo se tendió en una de las dos camas y le hizo un gesto a Consuelo para que acercara una silla a su cabecera. Ramona se acomodó a los pies de la cama. Parecía muy abatida.

—Escucha a Pablo. Vives en un hostal de rojos. No hables con Rosa, es comunista, su hermano no puede entrar a España —gimió Ramona.

—Nunca he visto a Rosa . . .

Pablo se enderezó en la cama y le lanzó una mirada centelleante de cólera.

—¿Nunca? ¿Nunca? Es la maestra de arte. Tiene pelo rojizo. ¡Usted ignora todo! ¡Absolutamente todo! La madre de Amparo se marchó a Rusia con sus hijas. Después volvió con Amparo, la otra hija se marchó a la Argentina. Me sorprende que no se refugiara en México, en donde viven todos los rojos. ¡Van ahora con el cuento de la amnistía volverán los asesinos! ¿Usted por qué volvió ahora?

Consuelo no supo qué decir al viejo, que la miraba con

ojos de inquisidor. Nunca entendería los motivos de su regreso. El pueblo entero le había dicho sin decírselo que la consideraban enemiga. Entró Eulogio con unas copas de anís. Pablo rechazó la suya con energía y se tendió nuevamente en la cama, con la mirada fija en el techo y los brazos cruzados sobre el gabán. Tenía el pelo blanco revuelto, los ojos vidriosos.

—¿Y ustedes dónde pasaron la guerra? —preguntó Consuelo.

No esperaban la pregunta y cruzaron entre ellos miradas rápidas. Se diría que Consuelo no debía preguntar nada; ella estaba allí para que la interrogaran. Vio a Eulogio bajar la vista y a Ramona taparse la boca. Pablo se sentó en la cama y la contempló con fijeza.

—Señora, debe usted saber que a mí me metieron en la cárcel ¡los azules! ¡los franquistas! —afirmó con solemnidad.

Ramona movió la cabeza con gesto desesperado para demostrar su infinita vergüenza y Eulogio se hundió en el silencio y la penumbra de la habitación. Sólo Pablo permaneció erguido y desafiante en su lecho.

—¿Eras rojo? —preguntó Consuelo.

Pablo se irguió aún más. Levantó la cabeza enmarañada, estaba en verdad indignado.

—Señora, como todos los Veronda ¡soy azul! —declaró con voz solemne.

—Los rojos lo obligaron a trabajar en la Cooperativa, ¡lo obligaron! —gimió Ramona.

—Señora, mi hermano Alfonso y yo escondimos el dinero del Banco. Los rojos nos secuestraron, ¡nos torturaron! Pero no entregamos el dinero. Entonces, como castigo me obligaron a trabajar en la Cooperativa. Cuando por fin entraron los azules, yo me encontraba patrullando la cárcel en la que habíamos encerrado a todos los rojos. En eso llegó un azul y ordenó: "¡Veronda, adentro!"

29

Estuve tres años adentro. ¡Tres años!

Después de estas palabras, Pablo se dejó caer exhausto sobre su lecho, con la mirada clavada en lo alto. Por la ventana se colaba el frío. "Tres años" se repitió Consuelo, sin entender a sus "parientes". Era preferible no preguntar nada, ni mirar al hombre inmóvil como un cadáver. Estaba desconcertada. No le gustaban aquellos personajes equívocos. ¡Mentían! En la profundidad de la mentira siempre hay algo perverso. Eulogio salió de las sombras y fue en busca de más anís. Tendría que beberlo, aunque le produjera náuseas.

—¿Vendrás al Novenario por mi hermano? —le preguntó Ramona, con humildad y como si se diera cuenta de la repugnancia que despertaba en su pariente y deseara borrar el efecto producido por las palabras de Pablo.

Pablo se irguió nuevamente en su lecho, miró con fijeza a Consuelo, levantó un brazo y señaló a su mujer.

—¡Aquí tiene a una mártir! Y no voy a dejarle nada. ¿Sabe usted cuánto tengo de pensión? ¡Siete mil quinietas pesetas! —y volvió a hundirse en el lecho.

—Me dijeron que mi tía Adelina se volvió loca, que llevaba peluca . . . —dijo Consuelo, aprovechando la hora de las confidencias.

Al escuchar las palabras de Consuelo, el viejo se enderezó en la cama como empujado por un resorte potentísimo. Su ira no tenía límite.

—¿Quién? ¿Quién ha dicho eso de mi tía Adelina? ¡La tía era una gran dama!

—¿Y cuándo murió? . . . ¿Cómo murió el tío José Antonio? —preguntó Consuelo.

El viejo entrecerró los ojos, se llevó un dedo a los labios, dudó unos instantes y se dejó caer, abatido, sobre su lecho.

—Señora, deje usted en paz a los muertos —musitó.

El silencio cayó en la habitación. La luz se fue desvaneciendo y las sombras aumentaron, los olores se hicieron intensos y el aire se volvió irrespirable. Consuelo quiso irse y Ramona la detuvo con fuerza. Sus parientes deseaban saber cosas de México, de su hermana, de sus padres, y la interrogaron con brusquedad, al mismo tiempo que le daban anís helado y tajadas de jamón. En el cuarto sombrío existían poderes extraños que la inmovilizaron. Ya muy tarde, Ramona y Eulogio la llevaron a la puerta de la calle. Los dedos de la vieja se clavaron en su brazo con una fuerza desconocida.

—No repitas nada de lo que te confiamos. El probín de Pablo sufrió mucho en la cárcel. ¡Ibanle a matar! ¡Ibanle a dar treinta años de presidio! Un sacerdote amigo de doña Adelina dio fe de su inocencia . . .

Ramona tenía el aire de una conspiradora dando consignas en la oscuridad de la puerta de su casa.

—No diré nada —prometió Consuelo, ansiosa de librarse de las tenazas de los dedos de Ramona. Afuera la noche estaba fresca, no olía al cuarto de Pablo. Eulogio la acompañó al hostal. Caminaba a su lado cabizbajo, como si una insoportable tristeza hubiera caído sobre sus espaldas agachadas. Por la estrecha acera avanzó la figura pesada del hombre del tricot color ladrillo y las gafas verdosas, que la llamó "la inglesa" en el café "Saltillo". Se cruzo con ellos sin dar las "buenas noches".

—¿Quién es? —preguntó Consuelo.

—Paréceme que es relojero . . . Paréceme que es rojo perdido.

La palabra relojero sonó amenazadora. El oficio del hombre le pareció maléfico. Se diría que ese hombre poseía el secreto de la hora de la muerte de todos los vecinos y también la suya. Eulogio le explicó que había llegado al pueblo mucho después de la guerra. Ella detestaba los relojes, sólo encontró uno que no la intranquilizara: el de Berna, que producía personajes bobos que giraban en lo alto de una torre.

En el comedor del hostal encontró a un nuevo huésped, viejo, flaco, con un traje muy usado. Su mesa estaba colocada junto a la de la maestra de arte, y ambos charlaban con animación. De vez en vez, el huésped señalaba con el cuchillo hacia el lugar que ocupaba Consuelo; parecía que hablaban de ella. Recordó que Rosa era "roja perdida" y se dijo: "Dos conspiradores". Amparo y Perico cenaban a su espalda y ambos la observaban con fijeza. Frente a ella un hombre calvo comía ávidamente con el cuchillo, y el camarero ponía un interés especial en atenderlo. En alguna parte lo había visto. Era incómodo ser observado. Se volvió a Rosa sólo para darse cuenta de que su amigo la vigilaba, y vigilaba a todos los comensales. No preguntaría quién era, porque nadie le diría la verdad. Prefirió subir a su habitación.

Trató de dormir, la novedad de tener una familia desconocida le quitó el sueño. Tal vez se equivocaba sobre su pasado. Muy tarde escuchó golpes y voces sofocadas; alguien trataba de entrar en una habitación. Sin saber por qué, decidió no frecuentar más a Pablo y a Ramona, eran ellos los que la asustaban por ser más desconocidos que los desconocidos.

Durante varios días se rehusó a frecuentar a sus "familiares" y la vieja del kiosko se negó a venderle el periódico, única distracción que tenía en el pueblo.

—¡Véndeselo! —ordenó una voz a sus espaldas.

Se volvió para encontrarse con un hombre alto y rubio, que después de saludarla se alejó. La vieja del kiosko llevaba una peluca rojiza y tenía la piel porosa. Se fue disgustada y sin saber adónde dirigirse.

En la acera de enfrente vio un café moderno, encerrado en cortinajes rojos, y entró allí a leer el periódico. La llamó la voz de Concha. Se mudó a su mesa, allí estaba el señor rubio que le ordenó a la kioskera venderle el diario. Había también una mujer morena de pecho levantado y sonrisa fácil.

—Joaquín y Josefina. El combatió en la Divisón Azul y su hermano murió en Rusia —dijo Concha. Joaquín enrojeció y su mujer se echó a reir. Parecía ser el único hombre rico del pueblo, con su traje azul marino y su camisa blanca impecable. Sus maneras eran tímidas; en cambio, su mujer era charlatana y amaba el cine.

—Cuando fui presidenta del Círculo de Damas Católicas, estaba fastidiada, casi todas las películas estaban censuradas y no podía ver ninguna ¿Vio usted *Gilda*? —le preguntó Josefina a Consuelo.

Sí, la había visto. Josefina pareció desolada y habló del cine del pasado. Las películas modernas eran todas pornográficas y si se veía una, ya se habían visto todas. Su sueño había sido visitar Hollywood. De pronto calló y Consuelo tomó su respiro para preguntarle por su tía Adelina, aquella charlatana le diría algo. Josefina la miró con malicia. ¡Era horrible! Me daba tanto miedo. A los jóvenes nos regalaba dulces si íbamos a misa en su capilla. Yo le hacía diabluras. ¡Pobre loca! Mire, hablaba en voz tan suave como usted. Llevaba una peluca . . . ¡Ah!, pero dígame —¿Cuál de las dos? —Consuelo no supo que decir ahora. ¿Tenía dos tías Adelinas?

—¿Cuál de las dos era su tía? —preguntó con inocencia.

—Porque eran dos. ¡Dos tías! —aseguró Josefina.

Joaquín miró con reproche a su mujer. Hubiera deseado que callara, pero ella insistió en reir y hablar de la peluca.

—La mente infantil desfigura todo. No haga usted caso. . . —dijo Joaquín, a manera de excusa. Concha reía también y Joaquín, nervioso, sacó un pañuelo albeante y lo pasó por su frente cubierta de un sudor imaginario. Había enrojecido hasta la raíz de los cabellos y no veía a Consuelo. Para ella todo se volvió confuso: " ¡Dos Adelinas!", se repitió. El alborozo de las mujeres la sacó de su distracción.

— ¡Ramirín! . . ¡Ramirín! —gritaron.

Un hombre alto, de gafas, se acercó a ellas. Era Ramiro, el otro hijo de Pablo, el predilecto, el que trabajaba en el Banco. El recién llegado saludó con gravedad y colocó las manos en los hombros de Consuelo.

—Necesito hablar a solas contigo —dijo.

Con aire solemne la llevó a la calle y echó a andar a pasos largos y pausados. Llevaba un chaleco de punto de color gris y tenía el aire preocupado de un burócrata. Caminaron de ida y vuelta por la calle oscura, de pronto Ramiro se detuvo frente al café. En la acera y a dos pasos de ellos estaban el relojero y su amigo, el hombre flaco de la cazadora verde, que le había llamado "la mexicana" en el café "Saltillo". Quiso saber quiénes eran aquellos dos hombres, pero Ramiro hizo un gesto de impaciencia.

—¡Ta, Ta, Ta! En el pueblo todos sabemos que eres comunista. No hables de política. Aquí la Derecha tiene el poder —empleaba una voz impersonal.

Consuelo quiso decir algo, pero Ramiro no le permitió decir una palabra. —¡Ta, Ta, Ta! Tengo las pruebas.

—¿Cuáles pruebas? —preguntó aterrada.

Ramiro se balanceó de atrás a adelante y de adelante a atrás. La miró a través de sus gafas de arillos niquelados, con condescendencia, y se volvió, pues del café salían Joaquín, Josefina y Concha, que se detuvieron a charlar con ellos. Fue entonces cuando se acercó el hombre de la cazadora verde.

—¡Comunista! —le gritó con voz estentórea.

—¡Basta! —exclamó Joaquín.

—Gil es una gran persona y un gran amigo nuestro —protestó Concha, y saludó efusiva a Gil.

—Perdone usted a Gil. Es un hombre bueno, pero inculto —explicó Joaquín.

El relojero observaba la escena y ella se alejó de prisa para ocultar su derrota. Lo único que la consolaba era no haberle dado la mano a Ramirín, que le había puesto la trampa.

Se refugió en el hostal, Gil, el hombre de la cazadora verde, la había marcado con una etiqueta que la convertía en persona peligrosa y en blanco de todas las miradas. Cenó cabizbaja las judías blancas y se unió a los huéspedes que veían televisión. No iba a amilanarse. Junto a ella se sentó el hombre calvo que comía en la mesa frente a la suya. De pronto el hombrecillo se inclinó:

—Deseo que todos los mexicanos se ahoguen en mierda —le dijo en voz baja.

—Soy española . . .

—¡Muy elegante ser español cuando conviene! —contestó el calvo, subiendo la voz.

Amparo y Perico sonrieron. Nadie dijo nada y Consuelo tuvo la seguridad de que los insultos y el silencio estaban acordados de antemano. Se retiró a su cuarto. "Tengo que irme de aquí." Contó el dinero y advirtió que no tenía bastante para transportar su equipaje. Hundió la cabeza en la almohada y lloró. No quería ver nunca a nadie del pueblo.

Llovió todo el día. Consuelo vio caer la lluvia a través de las rendijas de su persiana bajada. Salió del hostal, y para no ver a nadie, se fue al café de los choferes, espacioso y húmedo. Se sentía humillada, temía que su familia descubriera su escondrijo. "¡Ese Ramiro!" En la barra unos jóvenes hablaban de futbol y de alguien que había sido asesinado en el País Vasco. No quiso escuchar, no le interesaba. Un jovencito con cazadora azul marino, cara abierta y risa fácil, se plantó frente a ella.

—Camarada, voy a sentarme aquí, sé lo que te ocurre con los paisanines —dijo con voz decidida.

El chico empujó con el pie un taburete y se sentó a su lado.

—¿Qué me ocurre?

—¡Hombre!, que todos son unos fascistas —contestó, inclinándose para decir la última palabra en voz muy baja.

El muchacho lanzó una mirada satisfecha, encendió un cigarrillo y sonrió. Después miró hacia todas partes con rapidez y le pasó una revista que llevaba escondida bajo la cazadora.

—¡*El Viejo Topo*! —dijo con voz de conspirador.

Consuelo trató de esconder la revista, que debía ser muy subversiva, y miró al chico, asustada.

—Estos paisanines son tremendos. ¡Mira, pintan sus madreñas de negro para ser más elegantes! Yo las uso blancas —y levantó un pie para mostrar sus madreñas de madera clara. Consuelo se echó a reir y el muchacho dio varias palmadas y ordenó un coñac.

—Tengo gente adentro del hostal. Tú no te preocupes, hemos hecho las listas y les daremos cuerda a todos —y el chico dio una larga chupada a su cigarrillo.

—¡Oye, me llamo Manolo! El paisanín ese que te dijo que te ahogaras en mierda no es de este pueblo. Lo trajo un moro hace ocho años. Se llama Marcelo y es' ¡maricón! Ma-ri-cón. Como lo oyes.

Consuelo iba a reir, pero vio entrar a Gil, que se colocó en la barra y los observó con ira mal disimulada. Manolo le sostuvo la mirada; luego, inquieto, se inclinó sobre su amiga.

—¡Mírale! Se llama Gil. Es el que te llamó comunista. No te preocupes, yo vigilo. Estos paisanines son tremendos, dicen que no eres Veronda. Y sí que lo eres ¿verdad?

—¡Claro! —aseguró ella, sorprendida.

Gil se acercó a ellos, dudó y volvió a la barra. Manolo juzgó que debía retirarse, "Andaré por ahí" dijo, y salió pisando fuerte, balanceando su enorme paraguas negro. Gil bebió algunas copas de coñac y se marchó. Consuelo lo vio desaparecer entre los remolinos de lluvia que azotaban la calle. Ella se quedó allí pensando en que no tenía adonde ir, salvo al cuarto húmedo. Era tarde y tuvo que irse en medio del viento helado que bajaba de las montañas con una furia tan violenta que no le permitía avanzar. No llevaba paraguas y en unos segundos quedó empapada como una sopa. Del quicio de un portal salió Gil, y la atrapó. Tomada por sorpresa se dejó llevar sin resistencia a su automóvil. Gil la introdujo en el asiento posterior y partieron a toda velocidad. Pasaron frente a la casa junto al río, que en aquel momento estaba envuelta en la tormenta y enfilaron por la carretera. Corrieron por la noche oscura barrida por el viento; la lluvia golpeaba el parabrisas y afuera sólo había sombras fantásticas. Gil tomaba las curvas a una velocidad vertiginosa. Consuelo no sentía miedo, iba resignada. ¿Qué podía hacer en medio de una tormenta y ante la cólera ciega de aquel maniático? De pronto el auto se detuvo en una cuneta junto a algo que parecía una casa abandonada. La tormenta pareció crecer en violencia, el viento helado se coló por las rendijas del auto y la noche entera pareció derrumbarse sobre el vehículo estacionado en ese lugar absurdo. Gil echó los faros sobre la casa despintada e invadida por la maleza. Consuelo vio su puerta y sus ventanas condenadas.

—Los rojos asesinaron a muchos. Los liquidaban de noche. ¿A cuántos se cargaron? —preguntó Gil.

—No lo sé. Yo era niña y me marché con mis padres . . .

—En esta casa mataron a cuatro de ¡tus asesinos! que habían matado a noventa y dos —contestó él. La casa despintada, envuelta en la tormenta, tenía algo demasiado quieto, inmóvil en un instante de horror. Era intocable. Toda la lluvia del mundo no lavaba la sangre acumulada. "¡Cuánto rencor!", se decía Consuelo, y recordó que en México había habido una revolución y los odios y rencores personales estaban borrados. A la gente la movían otras cosas que miraban al futuro, no estaba estacionada mirando con odio al pasado, llevándose unos a otros las cuentas. Gil apagó los faros y en la oscuridad completa ella no pudo pensar en nada, sólo la caída de la lluvia y el soplar del viento. Estaba paralizada por el terror.

—Puedo hacerte bajar y darte una paliza para que quedes más roja que tus asesinos --dijo Gil.

Ella no contestó. De pronto supo que era peligroso abandonar a aquel individuo a su pensamientos y pidió encender la radio para escuchar música. El hombre obedeció y la alegría de la música pareció calmarlo. Al cabo de unos minutos volvieron a correr a toda velocidad, cruzaron un pueblo y Gil detuvo el automóvil frente a una discoteca. Ocuparon una mesa al fondo del local. Los rayos violentos de los reflectores verdes, violetas y rojos iluminaban los ojos borrachos del hombre sentado frente a ella. Nunca pensó que aquel "paseo" terminaría en una discoteca pobretona y casi abandonada. Se sintió segura.

—Quiero saber qué es mi familia —dijo con voz firme.

—¿Su familia? ¡Roja! Roja perdida. Ramiro es un buen chico, salió de la nada . . . —dijo Gil con voz cansada.

—No me interesa que sea roja. Quiero saber por qué son mi familia. ¿Pablo de quién es hijo? —Gil la miró con sus ojos pequeños e inyectados de sangre, estiró un brazo sobre la mesa, se diría que iba a caer dormido.

—Alfonso, el padre de Concha, y Adelina y Pablo son hijos de Lolina, la sillera, a la que nunca se le conoció marido . . .

—¿Y mi tío José Antonio y mi tía Adelina, cuándo murieron?

Gil se enderezó, la miró con sus ojos desprovistos de pestañas como los de un pájaro y dio una puñetazo sobre la mesa.

—¡Esos nunca existieron! ¡Nunca! He visto todos los papeles del Municipio y nunca existieron . . . ¡Pobre Adelina! Su padre, Alfonso, quería que fuera una señorita y ¡mire ahora! cuida cerdos y descarga sacos. Concha es viuda de un cubano; nunca lo quiso. ¡Esa no quiere a nadie! Eulogio y Ramiro son chicos excelentes. ¡Excelentes!

—Y dio un nuevo puñetazo sobre la mesa.

—¿Son excelentes y son rojos? Entonces, ¿por qué me acusó a mí de ser comunista?

—Hoy estaba usted con Manolo, ese hijo de puta. Y mire, Ramiro la conoce mejor que yo, no importa que sea rojo, es ¡excelente! Siempre lo fue. Además Pablo me debe muchos favores, ¡muchos! —afirmó Gil, con los párpados entornados.

Las luces rojas, verdes, violetas y anaranjadas continuaban pasando sobre el rostro enjuto del hombre, que con sus ropas viejas parecía un payaso usado y roto.

—Y estos tíos, José Antonio y Adelina, que se ha inventado usted ¡nunca existieron!, ¡nunca! —repitió Gil, centelleante de cólera.

Consuelo comprendió que debía callar. Cuando volvieron al hostal continuaba lloviendo. Estaba empapada y el agua chorreaba de sus cabellos. El pueblo parecía haberse ahogado. Al bajar del auto, Consuelo se encontró paralizada por el terror, quizás había hecho demasiado esfuerzo en mantenerse tranquila frente a aquel demente y trató de correr hasta la puerta abierta del hostal. Subió la escalera oscura y a tientas buscó la puerta de su cuarto. ¡Si pudiera encontrar a alguien de confianza! Se dejó caer en la orilla de su cama. Estaba asqueada: había soportado insultos, miedo, ¿por qué? ¿Quién era ese individuo amenazador que negaba que hubiera existido su familia? El hostal vacío y la puerta abierta le dieron miedo. Debía dejar el pueblo, irse, pero ¿adónde y con qué dinero?

Por la noche el comedor estaba quieto, fijó la vista en su plato, en el que se enfriaba un trozo de carne con patatas. Alguien la miraba. Levantó la vista y vio la cara de Ramona pegada a los vidrios de la ventana que daba a la callecita lateral. En la oscuridad de la noche el rostro de la mujer era negro y los ojos brillaban febriles. Consuelo pareció hipnotizada y el huésped nuevo, el viejo amigo de rosa, volvió los ojos rápidamente y sorprendió a Ramona. La mujer desapareció con velocidad. Marcelo, el ma-ri-cón, como lo llamó Manolo, comía con el cuchillo y masticaba con decisión. Perico y Amparo cenaban indolentemente. Era indudable que habían visto a Ramona. No supo si ir al "Saltillo" o tomar el café en el bar del hostal. Necesitaba reflexionar. Perico se mudó a su mesa.

--La veo preocupada, doña Consuelo. Mi hermano era un gran revolucionario y pasó toda su vida en la cárcel. ¡Toda! Salía y volvían a detenerlo y ¡pumba!, ¡pumba!, ¡pumba! Lo golpeaban tanto, que volvía a casa destrozado . . . Murió el año pasado. Lo recuerdo lleno de sangre, cuando volvía a casa, para que lo pillaran enseguida y ¡pumba!, ¡pumba!, ¡pumba! Pobre hermano, murió unos días antes que el Caudillo. No tuvo esa alegría . . .

Consuelo lo dejó hablar y observó sus labios rojos y su calva brillante. Llevaba dos anillos de diamante y sus gestos eran demasiado elocuentes. Sus ojos opacados y abultados fingían una simpatía no sentida. Consuelo agradeció las confidencias y evitó entrar en el cuarto de la televisión, en donde campeaba Marcelo. La chica teñida de rubio le salió al paso.

—No sé qué quiere Ramona. ¡Nada bueno! No, nada bueno. Anoche la encontré mirando hacia su ventana apagada. Me da miedo, yo en su lugar no volvería nunca a su casa. Papá le ha hecho muchos favores. ¡Así es papá! —dijo con su voz áspera.

—¿Quién es tu padre? —preguntó Consuelo.

--¿Mi padre? Es Pedro, y Amparo es mi tía.

Amparo apareció por la puerta del bar que comunicaba con la cocina y la chica fingió leer una revista.

Una vez en su habitación, recordó la frase de Gil: "Pablo y Alfonso son hijos de Lolina, la sillera, a la que nunca se le conoció marido". La seguridad de que todos le mentían le produjo miedo. Quizás Manolo le diría la verdad. En el espejo vio su rostro lívido y se sintió muy cansada.

La despertó el bullicio del pueblo. A través de la persiana bajada le llegaron las campanas que llamaban a misa por el patrón del pueblo. Después todos irían a la romería, sólo ella estaba sola, encerrada en el cuarto de un hostal de una estrella. Por la noche se halló en medio de los huéspedes y escuchó sus alegres comentarios: "Por un momento me creí dentro de un Renoir", dijo Rosa, la maestra de arte, moviendo sus pendientes hechos de plástico azul. Se volvió a Consuelo.

—Usted sabe que la República era la inteligencia y el franquismo la pistola —dijo enfáticamente.

El viejo con mirada de pájaro sonrió, y acompañado de Rosa se dirigió a su mesa. Era difícil soportar la soledad a la que la habían condenado. La acusaban de algo y ella sólo encontraba en las esquinas a Gil y al relojero. Ahora, también estaban dentro del hostal charlando animadamente con Amparo. Cenó de prisa y volvió a su habitación. ¿Era esa la hospitalidad tan cantada?

Oscurecía cuando pasó frente a la casa de su tío José Antonio. Sobre la piedra del enorme portón todavía estaban labradas sus iniciales: J. A. V. La casa estaba abandonada, las ventanas cerradas, las tapias derruidas y en el jardín los árboles crecían rotos, en medio de la maleza. Contempló los vidrios destrozados de los miradores. Una furia antigua sopló sobre la casa para después abandonarla y dejarla en silencio. Había un misterio que nadie deseaba descifrarle. De pie frente al portón, se sintió descorazonada; era inútil llamar, nadie acudiría. La furia destructora la expulsó de su casa y los vecinos la miraban con regocijo. "¡Su familia nunca existió!", dijo Gil, y las iniciales grabadas en la piedra se dejaban contemplar con tristeza. Dio vuelta a la esquina y vio que una de las ventanas del salón había sido convertida en puerta que daba acceso a una farmacia. ¿Quién rompió esa ventana? ¿Quién destruyó la casa? ¿Quién la clausuró? Entró en la farmacia para encontrar alguna huella del pasado y un hombre de bigote retorcido apareció tras el mostrador. Ella no supo qué decir, atontada por el inesperado espectáculo. Recorrió con la vista las vitrinas, que encerraban frascos de etiquetas pequeñas y anuncios para la tos, los callos, alimentos para niños raquíticos y aceites para dorarse en la playa. La farmacia era pequeña, una puertecilla abierta entre sus estantes conducía al interior amplio, alguna vez acogedor y lujoso. El hombre se atusó el bigote. En su actitud había algo perverso.

—Unos somníferos . . . —dijo ella.

Era asombroso hallarse allí, percibiendo aromas medicinales . . . en ese lugar que antes tuvo muebles tapizados en oros viejos, alfombras, espejos, libros, flores y los cuadros que ahora colgaban en el Salón Cabildos del Ayuntamiento. Desde la ventana convertida en puerta, ella contemplaba el puente romano situado a unos cuantos metros de allí, en ese momento desdibujado por la llovizna. Desde esa ventana ella vio llover en el pasado, igual que ahora, sólo que antes la madera ardiente de la chimenea perfumaba la habitación e iluminaba los libreros. Contempló el puente romano envuelto en la neblina y la llovizna. Sus hierbas y sus enredaderas la llamaban, como lo hicieron en el pasado. Trató de escuchar al río de aguas heladas que corría bajo su arco y una mujer la interrumpió.

—¿Cómo encuentra al pueblo?

—Igual . . . —le contestó a la desconocida, que la miraba con demasiada curiosidad.

Su interlocutora pareció asombrarse: ¡igual!, ¡pero si todo había cambiado! El farmacéutico observó la escena e intervino en la conversación cuando se pronunció el nombre de José Antonio, al que la cliente no deseaba recordar.

—Sí, sí, algo he escuchado sobre el pobre José Antonio . . .

—¡Eladia!, deja de charlar, aquí tienes tus parches —gritó el farmacéutico.

Consuelo abandonó la farmacia. Se refugió en el antiguo café situado en la acera de enfrente. Estaba segura de que la mujer deseaba decirle algo y decidió esperar. La puerta iluminada de la farmacia parecía un espejo en el que se reflejaban personajes equivocados. El hombre y la mujer discutían. La humedad del café y la lluvia de la calle la cubrieron de tristeza. Cuando la mujer abandonó la farmacia corrió tras ella y la alcanzó en la esquina, frente a la casa junto al río. La mujer se volvió, fingiendo sorpresa, sonrió bajo su enorme paraguas negro y esperó las preguntas. Consuelo se alisó los cabellos mojados, sólo deseaba saber la suerte de su tío José Antonio. La mujer miró en torno suyo y luego clavó la vista en el rostro de Consuelo.

—No recuerdo . . . he oído algo, creo que se suicidó . . . ¡Se ahorcó! —dijo la vieja Eladia, y escrutó el rostro de su interlocutora a través de la llovizna y de las sombras.

La respuesta atroz de Eladia la hizo olvidar el agua que caía sobre ella.

—¿Se ahorcó? . . . ¿Ahí, en su casa? . . . —preguntó aterrada.

—No, eso sucedió en otra casa . . . en otro pueblo. ¡Por Dios, he hablado demasiado!, ¡Calle!, ¡calle! Esto no conviene decírselo a nadie. ¡Suerte, mucha suerte!

La mujer se alejó de prisa, moviendo su enorme paraguas negro y ella quedó bajo la llovizna.

La casa junto al río continuaba quieta en la calle desierta. "¿Se ahorcó?", se repitió Consuelo. "¿Por qué me lo oculta Pablo?" Decidió ir a la casa del viejo en ese mismo instante. Cruzó el pueblo silencioso y lavado por la lluvia. Frente a la puerta de la casa de Pablo dudó unos instantes. "¿Por qué calla?", volvió a preguntarse y apoyó la mano en la campanilla. ¡Entraría! Le abrió Ramona.

—¡Nos has olvidado! . . . Pablo está muy enfermo —dijo con aire abrumado.

En la habitación de techo bajo Consuelo ocupó la silla

que estaba junto a la cabecera de la cama del moribundo. Este, con los brazos cruzados sobre las mantas, miró a su pariente con gran enojo y ella sintió un asco repentino ante aquel anciano y aquella mujer oscura que fingían un sufrimiento innecesario. ¿Por qué querían aparecer como víctimas . . ., y víctimas de quién? Ambos la examinaban con reproche y al cabo de unos minutos de silencio, el viejo exclamó indignado:

—¿Por qué no asistió usted al Novenario del hermano de Ramona?

—Deja, Pablo, deja. Consuelo está muy ocupada, la vi bajar del auto de Gil . . .

—¡No era yo! —afirmó Consuelo con descaro. También ella mentiría.

Pablo se sentó en la cama y miró con severidad a Consuelo.

—¿Sabe usted que ese hombre es un asesino? ¡Un asesino! Incluso ha querido matar a su padre. Usted no debe mezclarse con los fascistas. Le he dicho que no opine de política. También sé que estuvo usted con Joaquín, el legionario azul. ¡Defínase políticamente! ¡Defínase! —exigió iracundo.

—¡Extrema derecha! —contestó Consuelo.

Pablo se dejó caer en su lecho, miró el techo con fijeza y Ramona se mordió los nudillos de los dedos como si pensara devorarlos. Entró Eulogio.

—La señora acaba de definirse; ¡extrema derecha! —dijo Pablo, y los tres se miraron asustados.

—Como todos los Veronda ¡azules! —repitió Consuelo.

—Efectivamente, como todos nosotros —contestó Pablo.

Hubo un silencio y Eulogio salió para volver con los vasitos de anís y las tajadas de jamón.

—Mira, estas copas vienen de la casa de la señora Adelina —dijo Ramona.

—¿La loca de la peluca? —preguntó Consuelo.

—No, no, esa era la otra, la que estaba un poco chalada. Tres veces entró al convento y tres veces salió. A mí la señora Adelina siempre me quiso mucho. ¿Verdad Pablo? —dijo Ramona.

—¡Verdad! —contestó el viejo a su mujer, concentrado en mirar el techo.

—¿Y quién era la otra? —preguntó Consuelo, esperanzada, creyendo que obtendría la verdad.

Los tres guardaron silencio. Luego Pablo se irguió en el lecho, se volvió a Consuelo y exclamó con aire de extrema dignidad.

—¿Cómo que quién era la otra? ¡La tía Antonina, la hermana de su padre, señora!

"La hermana de su padre, señora", escuchó Consuelo, asustada, y en la habitación de techo bajo, planeó una sombra siniestra, que se le antojó que era la de su tío José Antonio suspendido de una cuerda. Sintió miedo ante aquellos personajes que se desdibujaban en la penumbra de la habitación y decidió preguntar por él.

—¿Y mi tío José Antonio?

Pablo saltó como si un resorte mágico lo hubiera movido. Se sentó en el lecho y la miró con ojos vidriosos.

—¡No me hable de él! ¡Estaba loco! —y volvió a adoptar su posición horizontal, boca arriba y con los flacos brazos cruzados sobre el pecho, mirando a lo alto con aire digno.

—¿Has visto a Concha? —preguntó Ramona, mirándola con ojos ansiosos.

Pablo levantó un brazo y lanzó una mirada de ira a su mujer.

—Prohibo que la nombres en esta casa. Usted debe saber que echó a mi madre a la calle. Yo mismo la vi venir por la ventana de la cocina y salí y dije: "¡Madre . . . Madre!" Hacía varios meses que no la veía, ya que estaba con esa mujer, a la cual no nombro. Mi madre se quedó a vivir con nosotros; ella quería legarme todo, pero yo no acepté. Llamé a un notario y delante de testigos hice que nos heredara a todos por partes iguales.

—¿Quién era tu madre? —preguntó Consuelo, con voz indiferente.

Pablo dio un golpe sobre las mantas y volvió a enderezarse iracundo.

—¿Mi madre? ¡Lolina! . . . Lolina Veronda . . . De Veronda . . .

—La hija predilecta de tu abuelo — añadió Ramona.

—Y hermana de su padre —terminó Pablo.

Consuelo lo escuchó disgustada. Su padre nunca tuvo una hermana llamada Lolina y si la hubiera tenido y fuera la madre de Pablo, éste no debería llamarse Veronda, sino llevar el apellido de su padre. Los tres sombríos personajes que tenía delante estaban mintiendo. Los observó con miedo, mientras ellos permanecían impasibles. En ese momento se escuchó la voz de Concha, llamando desde la escalera.

—¡Pablo! . . . ¡Pablo! Vengo a usar el teléfono.

El anciano no se inmutó al escuchar la voz de su enemiga, la que, según él, nunca pisaba su casa y había echado a la calle a su madre. Tranquilo le ordenó a su mujer.

—Echa a la calle a esa mujer.

Ramona salió de prisa. De abajo llegaron rumores de voces: eran Ramona y Concha que conferenciaban.

La vieja volvió a la habitación para anunciar con aire compungido.

—Le dije que no insista en llamar desde aquí y que no vuelva nunca.

Pablo cerró los ojos, parecía extenuado. Eulogio y Ramona acompañaron a Consuelo hasta la puerta, al despedirse ésta vio colgados en el muro de entrada dos medallones del siglo XIX, y tuvo la corazonada de que habían sido robados.

—Me los regaló la señora Adelina --confesó la vieja, que había seguido su mirada.

Ya era tarde para cenar en el hostal. No quiso encerrarse a solas consigo misma en la humedad de su cuarto, caminó al azar, preguntándose por qué todos le mentían, y sin darse cuenta pasó frente a la casa junto al río, envuelta en silencio. Tampoco ella quería confiarle su secreto. Las rejas despintadas y los prados sin rosales ni violetas la dejaron inquieta: "Aquí pasó algo . . ." Vio avanzar un automóvil que se detuvo frente a ella y Gil saltó a la acera.

—¿Busca algo?

—Doy un paseo . . .

Gil llevaba la misma cazadora verde y los mismo pantalones amplios. Fijó en ella sus ojos borrachos y trató de interceptarle el paso; pero ella se dirigió al hostal.

—Ya me dijo Ramiro que usted habla varios idiomas. ¡Como en el cine! Usted me recuerda a esas mujeres que salen en el cine, muy elocuentes, muy preparadas para engañar a todos. Esas mujeres que llegan de Rusia. Dígame ¿conoció allá a Amparo? —preguntó el hombre.

— ¡No diga estupideces! Amparo nunca estuvo en Rusia, ni yo tampoco . . .

—¿Trata de engañarme? Amparo sí estuvo en Rusia. Lo sabemos todos, desde ella hasta Ramiro. ¡Vamos!  contestó subiendo la voz.

Consuelo siguió caminando, de pronto se detuvo y se volvió para encararse con Gil.

—¿Cómo murió mi tío José Antonio?

— ¡Le tengo dicho que esos tíos suyos no existieron nunca! —gritó iracundo.

Consuelo volvió sobre sus pasos. Antes de encerrarse en el hostal, regresaría a casa de Pablo, lo acorralaría hasta sacarle la verdad sobre su familia. Gil la siguió y ella no dio importancia a aquel maniático. Llamó con ira a la puerta de Pablo, y encontró a éste dedicado a la lectura del pe-

47

riódico. El viejo, sorprendido, se quitó las gafas: "Sí, sí, leyendo, como todos los Veronda", dijo, mientras Consuelo lo observaba con ira.

—¿Por qué no quieres hablar de mi tío José Antonio?

Pablo se sentó en la cama. Su mujer quiso intervenir, pero él le hizo un ademán enérgico para callarla.

—Sí quiero hablar, señora. Le dije que se volvió loco . . . Yo no quería apenarla . . . La última vez que le vi iba por la carretera de Peña, vestido de negro. ¿Recuerda que siempre vestía de negro? . . . Le gustaban los paseos solitarios. Sí, le gustaban . . . El era así, solitario y callado . . . ¡Qué horror, qué pena! Espero que usted no practique esa costumbre —dijo el viejo, con voz triste.

— ¡Ay! todo se acaba, mi pobre hermano murió . . . —intervino Ramona.

Esperó a que continuaran, pero los dos viejos callaron y ella supo que habían cerrado los labios para siempre. La repentina tristeza de Pablo le cayó encima como una capa de cenizas y escuchó su extraña frase: "Espero que usted no practique esa costumbre . . ." ¿Qué quiso decirle ese viejo de mirada atroz, súbitamente triste? Investigaría por su cuenta: iría al cementerio a buscar las lápidas de sus familiares, así sabría las fechas de sus muertes; después continuaría en la búsqueda de sus huellas hasta solucionar el misterio.

Cavilaba en su habitación, cuando escuchó nuevamente los golpes y las voces en un cuarto cercano. Se lo diría a Amparo, eran inquietantes aquellas escenas nocturnas y violentas, llevadas en voz baja. Antes de caer dormida se prometió no preguntar a nadie por el cementerio. No deseaba que nadie supiera sus planes.

El cementerio más antiguo se hallaba en las afueras del pueblo, en el camino de la Capilla de San Antón. Muy temprano se dirigió allí. Las calles habían cambiado, pero daría con él. Tomó callejuelas solitarias y rápidamente se

48

encontró en la cuesta de San Antón. Lloviznaba ligeramente y los árboles se difuminaban en la niebla y el agua que caía con suavidad. Tomó el caminillo empedrado, húmedo y resbaladizo. El campo olía a verde y muy cerca estaban las montañas que cerraban al pequeño valle. La tierra perfumada por los manzanos era amable.

—¡Camarada! —la llamó una voz de muchacho.

Se detuvo y miró hacia todas partes: no había nadie, sólo la llovizna envolviendo a los árboles con una penetrante melancolía.

—¡Camarada!

Repitió la voz. Descubrió a Manolo, escondido tras unas tapias derribadas. Miró hacia atrás y cuando se hubo cerciorando de que nadie la seguía, se dirigió adonde estaba el muchacho. Manolo tenía el rostro mojado y un aire solemne.

—Estos paisanines son tremendos. ¡No vayas al cementerio! Yo sé que vas allá, todos lo sabemos. ¿Para qué vas?

Asombrada, no supo qué contestar. Manolo se dio importancia, hizo girar su enorme paraguas negro y dio puntapiés a las piedras.

—Vienes sin paraguas . . . ¿No tienes? —preguntó con asombro.

—¡No! No tengo paraguas. . .

Manolo enrojeció, ignoraba que careciera de dinero hasta para comprarse un paraguas y sintió vergüenza por tener algo de lo que su amiga carecía. Se movió inquieto.

—Tú quieres visitar las tumbas de esos tíos tuyos, pero no las vas a encontrar. Yo soy un paisano muy listo, ya las busqué y resulta que no existen.

Lo miró boquiabierta, mientras la llovizna tupida continuó cayendo.

—Mira, mi padre es el cartero. Los carteros sábenlo todo. ¡Todo! Esas tumbas no existen. Veo que eres de otra época, que no te enteras de nada. ¡Vamos!, que los enterraron en tumbas para pobres. No compraron el terreno, pasaron siete años y echaron los huesos al osario común. ¿Entiendes? Los paisanines creen que vas a buscar sus tumbas, y no te conviene. Regresa al hostal y hazte la tonta... Yo seguiré con mis contactos y ya te avisaré lo que vaya sucediendo. ¡Aquí hay más mierda!...

—¿Cómo sabes tanto?

—No preguntes. Tampoco le tengas miedo a Gil. Ese paisanín mucho jugar con su pistola y no asusta ni a su madre. Vuelve al hostal, que no conviene que nos encuentren aquí de charla.

Manolo parecía preocupado bajo su enorme paraguas negro. La vio alejarse cuesta abajo: ¿cómo supo Manolo que iba al cementerio? El chico no la engañaba. Entró en el pueblo con las ropas mojadas y el cabello chorreando, y se encontró al relojero, amparado bajo un paraguas negro, el cual no se dignó mirarla. Desde la puerta de una tienda la saludó Joaquín, el marido de Josefina. Entró en el comercio a refugiarse de la lluvia y saludó al antiguo miembro de la División Azul.

—¡Que manera de llover! Espere aquí a que amaine... —le dijo Joaquín, poniéndose encarnado.

Sorprendida por su cortesía no supo qué decir; era la primera vez que recibía un gesto amistoso en ese pueblo hostil, de alguien que no fuera Manolo. Sobre una mesa se hallaba una máquina de escribir, la que Joaquín limpiaba con esmero. Lo observó trabajar y fumó un cigarrillo. Era difícil entablar un diálogo con aquel hombre tímido. La tienda estaba sola, aislada por la lluvia que arreciaba por momentos.

—Usted estuvo en Rusia...

Joaquín no levantó la vista, continuó limpiando la máquina.

—Gente muy dulce la rusa —dijo como para sí mismo.

Su respuesta la desconcertó. Ella sabía por Concha que

su hermano había muerto en aquel país. Escuchó caer la lluvia y después de un rato le preguntó por qué se había ido de voluntario a la División Azul, si pensaba que los rusos eran "tan dulces". El hombre dejó su trabajo y miró hacia la calle.

—Yo era casi un niño cuando los rojos mataron a mi padre . . . Un poco después también mataron a mi hermano mayor. Fue una tragedia. Más tarde, cuando pidieron voluntarios para ir a Rusia, me inscribí. Sucedió que una mañana mi hermano menor fue a comulgar y al volver a casa anunció: " ¡Me voy a la División Azul!" Yo decidí hacer lo mismo.

La voz de Joaquín no se alteró. Miraba algo y su pasado entró a la tienda cubriéndola de una melancolía infinita. Se diría que sobre ambos cayeron copos de niebla. Joaquín dejó sus manos quietas. En el cenicero, los cigarrillos encendidos levantaron columnas caprichosas que escribieron signos irrecuperables, evocados en la mañana de un pueblo perdido. Joaquín se echó a reir.

—Recuerdo que durante una licencia, un compañero y yo llegamos a Madrid. No conocíamos a nadie y decidimos ir al teatro. Llevábamos los uniformes azules y las botas negras limpísimas. Queríamos dar buena impresión y al avanzar por el pasillo del patio de butacas, las botas crujían como si fueran truenos. La función había empezado y los espectadores se volvieron a vernos, pues dábamos un paso y ¡crac! otro y ¡crac! Nos quedamos quietos. Volvimos a avanzar y los actores interrumpieron sus parlamentos para mirarnos. Entonces, nos apoyamos en los brazos de las butacas y avanzamos columpiándonos, sin pisar suelo. Los actores empezaron a aplaudir . .

Joaquín rio de buena gana al recordar aquel episodio juvenil. Consuelo observó su cabello rubio mezclado con canas, su nariz recta y sus ojos nostálgicos. "Debe haber sido muy guapo", se dijo. Invocados por él, aparecieron en

51

la tienda dos oficiales de uniforme azul en un patio de butacas. Era él quien proyectaba aquella imagen remota, era su pasado magnífico en la modestia de la tienda. "Para los hombres siempre su tiempo de guerrero es su mejor tiempo, de cualquier bando que sean", pensó Consuelo, y recordó a su abuelo y a sus amigos y conocidos hablando siempre de sus acciones de soldado.

Joaquín cesó de reir y puso orden en sus lápices.

—Josefina quedó huérfana. A su padre lo fusilamos los nacionales. Era comunista, las guerras civiles son atroces. Su padre era muy buena persona, murió por sus ideales, como mi hermano. Al volver de Rusia la conocí y nos casamos.

Hablaba con inocencia, convencido de sus palabras modestas y mirando hacia la calle como si de la vía le llegara su pasado. La acompañó hasta la puerta, había olvidado la cortesía y el gesto del hombre la hizo salir dando traspiés.

En el vestíbulo del hostal se encontró a Amparo, su mirada gruesa, aumentada por los cristales de sus espesas gafas, cayó imperturbable sobre sus cabellos y sus ropas mojadas.

—Estuviste con Joaquín. ¡Pobre diablo! Fue el héroe local. ¿Sabes lo que hizo? Cuando volvio de Rusia toda la gente de los alrededores lo esperaba en la estación con banderas y flores. Pues bien, él lo supo y se apeó del tren en el pueblo anterior. ¡Eso se llama abandonar el éxito! ¿No estás de acuerdo? Míralo ahora, de empleado. ¡Pobre diablo! —dijo con voz desdeñosa.

Consuelo la escuchó asombrada.

—No me juzgues mal, imagínate que tres personas de su familia murieron por los Nacionales. ¿No crees que podía tener una situación mejor? —prosiguió Amparo.

—Sí, mucho mejor . . .

—Es un imbécil; en cambio, mi madre y yo sufrimos y luchamos. . . y ya ves. . .

Consuelo subió a su habitación, no le interesaban las confidencias cínicas de Amparo. "Joaquín es un imbécil porque no supo aprovechar el éxito." Tampoco ella lo había aprovechado. Procuraría no escuchar más a la gente del pueblo y durante varios días evitó cualquier palabra o roce con ellos.

"Mañana a las seis en el café de los choferes. Manolo", decía la nota que encontró bajo la puerta de su habitación.

Manolo llegó puntual al café haciendo sonar sus madreñas blancas. Ordenó un coñac y ocupó un taburete frente a su amiga.

—Camarada, sucede que estos paisanines son cerrados. El viejuco ese, Pablo, está enfermo desde que tú llegaste. ¡Qué pantomima la de este fascista!

—¿Fascista? Me dijeron que era rojo —dijo Consuelo.

—¿Rojo? ¿Rojo ese tramposo? Es muy viejo, muy triquiñuelo para ser rojo . . . Mira, nadie quiere decir nada, pero yo sigo la buena pista. ¿Ya te dije que mi padre es cartero? Cuando yo era niño, a veces repartía cartas y cuando llegaba a la cocina de ese paisanín y salía la paisana tan enorme y tan negra, yo estiraba la mano, le daba la carta y salía pitando. Esa paisana es negra y siempre se está comiendo los dedos. ¡Malo, malo! El paisanín repartía carbón en una furgoneta . . . Mi madre es maestra de escuela y tiene conciencia de clase, pero en cuanto le hablo de esto, me tira un coscorrón. . .

Manolo se detuvo y encendió un cigarrillo, parecía preocupado. Estaba alerta y a Consuelo le pareció que tenía miedo.

—El paisanín se iba a las tabernas a jugar a las cartas. Yo acompañaba a mi padre. ¡Mi padre era un buen camarada! El carbonerín echaba la cabeza hacia atrás, cruzaba los brazos sobre el pecho, cerraba los ojos y simulaba tirar cualquier carta. ¡Vaya cómico! Yo lo llamo el cadáver . . .

Consuelo se echó a reir, la imitación que Manolo hacía de Pablo era perfecta. El chico se puso serio.

—¿No me crees? Así era y supe que en los días en que a tu tío lo golpeó un camión en la carretera a Peña, el paisanín se puso muy enfermo, como ahora . . .

—¿Lo golpeó un camión? —preguntó Consuelo, aterrada.

—¡Sí!, información de primera mano. Esto pasó antes de que yo naciera y es información ¡confidencial!, de primera mano. Paréceme que tu tío volvióse loco con el golpe, porque ya nunca salió de esa casa —añadió Manolo, mirándola con fijeza.

—¿Qué casa?

—¡No entiendes nada, coime! La casa de Peña, allí se ahorcó tu tío. Lo encontraron una semana más tarde. Es confidencial . . . Tu tío tenía el traje negro desgarrado y estaba lleno de golpes. Tal vez fue el camión. Dicen que volvióse loco y ya no quiso salir de esa casa. . . No lo creo —agregó el chico en voz muy baja.

Consuelo recordó el paseo a Peña, la soledad de la carretera, el automóvil que pasaba zumbando junto a ella y la casa quieta que fascinaba a Concha. La puerta abierta mostraba un interior desordenado y sucio y la mujer oscura, con la mosca en la frente, la miraba con algo parecido al odio. Se alejó de allí impresionada por la suciedad, los árboles mutilados y el gesto impenetrable de la vieja. Recordó que bajo unos árboles estaba un carromato de gitanos. Escuchó decir a Manolo:

—A tu tío lo encontraron con el reloj de oro. Paréceme muy raro que no lo hayan robado. Por esos días estaba por ahí un carromato de gitanos . . . Tú sabes lo que hacían, ¿verdad? . . .

Manolo se volvió inquieto y Consuelo descubrió acodados a la barra a Perico y al relojero, que los miraban con inquietud.

54

—¡Ahí está el relojero! Es un fascista, se llama Alberto, y como arregla los relojes se entera de todo. No sé qué hace con el músico ese de la charanga, ese Perico que nunca dio un golpe . . .

—¿La casa de Peña es de los padres de Ramona, verdad? —preguntó Consuelo.

—No sabía que esa paisana tuviera padres. Ella no es del pueblo, iré a mis contactos . . . Tú calla y espera —contestó el chico, visiblemente nervioso ante la insistente mirada de Perico.

—Márchome, el Perico y el relojero irán a ver a mis padres, son confidentes y muy amigos de Concha y de Gil. Hay que callar. Vete con cuidado . . .

Lo vio salir balanceando el paraguas y golpeando las madreñas, y ella quedó allí, escuchando el trote del carricoche que conducía a los dos enlutados por caminos empedrados y entre ráfagas de lluvia. Los niños a los que el prior despertó en el monasterio estaban muertos: Martín en México y José Antonio asesinado.

Y ella estaba allí, escuchando su muerte recitada por un chico de rostro de manzana. "Pablo conducía una furgoneta y desde un camión golpearon a mi tío, lo llevaron a la casa de Peña y una semana después apareció ahorcado . . . " La conclusión era siniestra: Pablo y Ramona lo habían asesinado. Todos lo sabían.

Tuvo miedo y evitó mirar hacia la barra en la que Alberto y Perico continuaban acodados. ¿Por qué callaban? Salió corriendo. Al entrar en el hostal se encontró con las mujeres viejas que jugaban a los naipes. Amparo le salió al paso.

—¿Sucede algo? —le preguntó con una sonrisa floja en sus labios de batracio.

—Nada.

El viejo amigo de Rosa, la observó con una mirada rápida. "Iré al pueblo vecino a buscar alojamiento", repitió durante la cena. No podía olvidar a su tío José Antonio, y el silencio que la rodeaba le produjo pánico.

En medio de la llovizna de las siete de la mañana se dirigió a la parada de autobuses y compró su billete. Sólo había unos pocos aldeanos cuando apareció también el relojero y compró un billete para ir al mismo pueblo. ¿Para qué la seguía aquel hombre? En la acera de enfrente estaba listo para partir el autobús que iba en dirección opuesta, cruzó la calle y lo abordó. El vehículo salió inmediatamente y Alberto, el relojero, tomado por sorpresa, se quedó mirándola partir. Durante el inesperado viaje a Covadonga olvidó mirar los pueblos que cruzaba. "¿Por qué estaba allí el relojero?", se repitió mil veces. Al llegar a Covadonga era la única viajera.

Covadonga estaba desierta. Desde las montañas bajaba un aire frío y transparente y se escuchaban el agua de la gruta y el rumor de las ramas de los árboles. Caminó sin rumbo y luego enfiló hacia la basílica. La encontró vacía, el pendón azul colgaba junto al altar mayor y parecía un trozo de agua congelada. No pudo rezar. Salió a contemplar la mañana intacta, encerrada bajo el cielo por los montes verdes. Se dirigió a la Cueva, le pidió consejo a la Virgen de rostro visigodo, encendió un cirio grueso y lo colocó sobre el pretil de piedra abierto al viento; después terminó de oír la misa celebrada por un sacerdote muy viejo. Al terminar corrió tras él y lo alcanzó en el pasaje abierto en la roca.

—¡Padre! Necesito hablar con alguien...

Caminaron juntos hasta las terrazas de baldosas blancas y allí le explicó que estaba sola en el mundo, que había venido a buscar refugio en el pueblo de sus padres. El viejecito la escuchó en silencio.

—Ahora tengo miedo. Hay una familia que pretende ser mi familia... —Lo sé todo. Pon tierra de por medio, mucha tierra, estarás más segura.

Lo escuchó asombrada. Los sacerdotes sabían todo antes de que hablaran los penitentes, ya le había ocurrido en otras ocasiones. Tenían el don de la videncia. Estuvieron un rato en silencio, el viejo miraba las montañas con aire apacible.

—No tengas miedo. Es falta de confianza en Dios; pero pon tierra de por medio —insistió.

Pasearon por las terrazas de losas blancas y hablaron del buen aire de las montañas.

—Estás muy pobre, lo sé. Abajo hay fondas baratas, come en una de ellas y toma el autobús de las tres de la tarde. No te conviene tomar el de las siete de la noche. Ahora oscurece muy temprano —le recomendó el sacerdote.

Consuelo le preguntó por qué debía tomar tantas precauciones.

—¿No eres la sobrina de Adelina y José Antonio?

—Sí . . .

—Pues por eso mismo —contestó enigmático.

Consuelo obedeció sus órdenes y tomó la rampa solitaria y bien cuidada para bajar al estrecho valle. La soledad inocente de aquel lugar le produjo miedo; tuvo la sensación de que nunca teminaría de bajar. Un automóvil se detuvo frente a ella y reconoció a Ramiro y al relojero.

—Sube, te llevamos —ordenó Ramiro.

Pero, si ellos iban arriba y ella bajaba . . ."Sube, te llevamos", repitió Ramiro. La soledad absoluta la dejó indefensa frente a los dos hombres que la invitaban a subir, y obedeció. Ocupó el asiento de atrás y escuchó la conversación de los dos hombres, que hicieron girar el auto y éste tomó la cuesta abajo.

Alberto era un poco tartamudo, se diría que separaba las sílabas en un tic-tac, tic-tac. Ambos hablaban de los "curas faldones" y de las faltas cometidas por las mujeres solas. "Son tías raras", y ambos rieron impunemente. No debía sentir miedo, pero no podía impedirlo. Vio que

Ramiro detuvo su automóvil en una huerta y lo escuchó ordenarle que bajara. Tomaron un sendero que los llevó a una casa escondida entre los árboles. Era una taberna bien cuidada. Ocuparon una mesa y el tabernero se dedicó a mirarla con descaro. Sólo estaban ellos tres, sentados a una mesa y sin cruzar palabra. Después, salió la tabernera a observarla con mirada escrutadora. Notó que Ramiro les hacía una seña a los taberneros.

—Creíamos que era usted la señora Veronda que estuvo aquí hace tres años. Venía con su marido, los dos muy elegantes. Comieron afuera, yo misma les serví —le dijo la tabernera a voces.

Consuelo supo que hablaban de su hermana. Estaba desconcertada.

—La señora traía alhajas muy buenas: pulseras de oro, anillos de diamantes, era rubia, se parecía a usted . . . pero en elegante —afirmó el tabernero.

—No quiso ver a la familia del pueblo. Supimos que no se detuvo a buscarla —dijo la mujer, con voz rencorosa.

—Vino varios años, parecióle poco la familia, la reconocimos por el aire, el parecido —afirmó el hombre.

—Era mi hermana . . . no era yo . . . —dijo Consuelo.

—¿Tu hermana? ¿Dónde está tu hermana? —preguntó Ramiro, alarmado.

—En Madrid —contestó ella al recordar al sacerdote.

El relojero movió la cabeza como un péndulo y después de terminar la sidra los tres volvieron al automóvil. Desconoció el camino de regreso y desconoció los pueblos. Recordaba al sacerdote y al secreto revelado por Manolo: estaba segura de que los dos hombres iban a matarla. Se dio cuenta de que hacía años que le seguían los pasos, por eso la llevaron a aquella taberna para ver si era ella u otro miembro de la familia. Los pueblos apacibles le producían terror y le costó trabajo aceptar que habían llegado al hostal. En la terraza estaba el viejo amigo de Rosa. Se hubiera dicho que la esperaba. Cruzó el vestíbulo de prisa y el viejo la siguió. Le dio alcance al pie de la escalera y la llevó a un rincón.

—Usted tiene una mala impresión del pueblo. ¿No es así? —y la miró hasta el fondo los ojos.

—No, no . . . lo que sucede es que estoy triste . . .

—Soy policía. Fui Comisario y conozco muy bien la mente criminal —le contestó el viejo.

—Yo no soy criminal . . .

—Vamos a ver, los crímenes se cometen por tres motivos: sexuales, económicos o políticos. Busque usted el motivo de lo que le sucede. Porque algo le sucede ¿no es así?

—Sí . . . será político. Me acusan de ser comunista. . .

El viejo movió la cabeza y continuó observándola.

—No. No es político. El problema es económico. Conozco bien el caso y hay en juego una millonada. Los herederos legítimos no habían aparecido hasta ahora . . .

—No entiendo . . .

—¿No entiende que sus familiares murieron intestados? Los bienes están en manos del Ayuntamiento hasta que los herederos o la heredera legítima los reclame —concluyó el hombre.

—¿Habla de mí? . . . —preguntó Consuelo.

—Sí . . . conozco bien el caso. ¡Vaya con mucho cuidado!

El viejo le dio una palmada y prometió charlar más tarde. Ella, por su parte, debía guardar silencio.

Se sintió perdida. ¡Una millonada! ¿Y por qué aquel viejo que se decía Comisario no actuaba? ¿Por qué la dejaba sola en medio de aquellos criminales activos? El viejo sabía que ella no tenía dinero y encima le recomendaba prudencia. Volvió a recordar que su tía Adelina le había legado el dinero a la iglesia, así estaba convenido en la familia. Sin embargo, el sacerdote le dio el mismo consejo: prudencia y poner tierra de por medio, "mucha tierra".

¡Nadie le decía la verdad! Quizás Manolo era el único, y la verdad era que habían asesinado a su tío, que todos lo sabían y que nadie hacía nada. Perpleja, abandonó el rincón bajo la escalera, sólo para descubrir a Eulogio metido en su tricot color de rosa.

—Mi padre está enfermo y quiere verte. ¡Vamos! Anda, vamos, que Concha y Adelina también están enfadadas contigo.

Eulogio le produjo un horror invencible: sus ojos de pelos enmarañados parecían arañas dispuestas a saltarle encima. Retrocedió y subió corriendo a su habitación. Al oscurecer se fue a buscar a Manolo al café de los choferes. El chico la esperaba con aire circunspecto. Apenas empezaban a charlar cuando surgió un incidente: entraron dos chicos al café y Manolo les salió al encuentro.

—¡Se marchan de aquí! ¡No quiero estar con los guerrilleros de Cristo Rey! —dijo desafiante. Los recién llegados lo miraron con altivez y uno de ellos avanzó hasta él. Era más flaco y más bajo.

—¡Tú vas a sacarme de aquí! Yo no me marcho.

—¡Eres un crío! Crece y luego nos daremos con cadenas —contestó Manolo, midiéndolo con la vista.

—¿Un crío? Voy a cumplir diecisiete años.

—¡Vaya con este guerrillerín! —dijo Manolo.

—¡Soy! ¡Fui! ¡Seré! —exclamó el guerrillerín, saludando con el brazo tendido.

—¡Acojonante! ¡Acojonante! —repitió Manolo.

"Los enemigos" ocuparon una mesa vecina y pidieron un chocolate. Manolo se sentó junto a Consuelo.

—¿Has visto? Quédame pegado al suelo. ¡Vaya con el cristerín! Es acojonante, pero no es de este pueblo —explicó. Consuelo se echó a reir y Manolo también. De pronto, cambió de expresión y le señaló al relojero, que en ese instante buscaba una mesa. Al verlo, "los guerrillerines" abandonaron el local.

—¿Ves tú? Es confidente. Ya se enteró de que aquí hubo bronca. ¡Vaya follón que va a armar ese paisano! —dijo Manolo, preparándose a partir.

Consuelo lo vio irse y permaneció sola, bajo la mirada del relojero. Este se acercó a ella.

—Pueblo chico, infierno grande —le dijo con su voz de tic-tac.

También ella abandonó el café. Caminó un rato y se dio cuenta de que Manolo la seguía. Al llegar a la iglesia de piedra rosa, el muchacho la alcanzó y la hizo entrar al pórtico, en donde se encontraba el nicho que guardaba el busto del hombre de rostro repulsivo.

—Mira a ese cabrón fascista. Vino de México a corromper a los paisanines. ¿Sabes lo que hacía? Echaba gasolina a los animales y les prendía fuego —explicó indignado. Manolo levantó un puño amenazador, pero el hombre de piedra permaneció impávido ante su cólera.

Se alejaron de la iglesia y caminaron bajo la lluvia. Le relató lo sucedido con el Comisario, pero el chico no pareció sorprenderse: escuchó con atención y de pronto la detuvo.

—Camarada, esta gente es fascista. Te han robado hasta el nombre. La carbonera se pone en las cartas: ¡de Veronda! . . . pero, también tú eres fascista. Fuiste a ver a esos curas y ellos te dijeron algo y ya no puedo confiar en ti. No soy intransigente; una persona de tu edad ya no evoluciona, ¡pero me diste un golpe!

Se sintió culpable delante de aquel chico. El nunca creería que los sacerdotes eran buenos, trató de explicarle lo que habló con el cura y cuando Manolo escuchó la recomendación: "pon mucha tierra de por medio", se detuvo preocupado.

—Están tramando algo tus familiares fascistas —dijo.

—Gil me dijo que eran rojos. ¿Sabes que Pablo estuvo en la cárcel? Lo metieron los Nacionales.

—Un cartero sábelo todo. Los carteros son como Dios, están en todas partes y tú no tienes a nadie en el mundo, por eso hoy tomé precauciones para que nadie se entere de la mentira que dijiste en la taberna. No te culpo, tu hermana no vive en Madrid, está muerta —dijo, y la miró con pena.

Volvieron a la iglesia y se sentaron en las gradas, se sentían deprimidos. Manolo buscaba indicios sobre la muerte de su tía Adelina, pero todos guardaban silencio. Cada vez enredaban más el caso. Ahora ya no era una tía la que atravesaba la galería para ir a la capilla, eran ¡tres! Manolo se rascó la cabeza, sabía algo nuevo.

—Los cuadros que están en el Ayuntamiento eran de tu tía Adelina. El paisanín era un pintor que no daba ni golpe. ¿Sabes? No diremos que era Goya, pero sus cuadros valen mucho dinero. ¡Mucho! Tú no ves claro, no tienes una perra gorda y la clave está en el hostal . . . ¡Y tú ni te enteras!

Echaron a andar, pasaron frente a la casa de su tío José Antonio y se desviaron hacia una casa enorme y apagada. Sus muros rojizos parecían negros. La ventanas estaban clausuradas y Consuelo la recordó como en sueños. ¿Cómo era posible que la hubieras olvidado? Manolo la observó en silencio.

—Gastó mucho dinero en perros blancos, en pieles, en perendengues. Cuando le traía las cartas me recibía en un salón con muebles dorados. ¡Era una fascista! Se fue a Biarritz durante la guerra. Yo la conocí de vieja. Un día los anticuarios vinieron de Francia y se llevaron todo. Sólo quedó ella y se prendió fuego. Pero, no murió y nadie puede verla. Paréceme que sólo te vería a ti . . . Deberías entrar a visitarla; ella sabe lo que sucedió con Adelina.

—¿Entrar a su casa? —preguntó Consuelo, mirando aquel caserón muerto.

—En esta casa no vive nadie. Ya no es de Elvira. Ella

vive en el hostal. No digas nada, entra en su cuarto. ¡Mira que te has pasado la vida chupándote el dedo! —contestó Manolo, con impaciencia.

Le pareció que Manolo deliraba. Elvira vivía en el hostal ¿y se lo ocultaban? El chico se indignó: corría riesgos, investigaba, movía a sus contactos, ponía en peligro a su Organización y el resultado era que ella no le creía nada. Consuelo prometió cumplir con las órdenes que le diera el chico.

—Busca a Elvira. Ahora me marcho, no conviene que nos vean juntos. Mañana la cita es en San Antonio —ordenó el muchacho.

Desde afuera del hostal vio a los huéspedes arropados en mantas y abrigos mirando la televisión. Ya habían terminado de cenar y ella se fue al "Saltillo" a tomar un café. Estaba abarrotado, los parroquianos discutían sobre la democracia. A su lado surgió el relojero.

—No sé, no sé que puede hacer un niño a estas horas de la noche. Debería estar en su casa, estudiando cerca de sus padres —le dijo el hombre, sacudiendo la cabeza con enojo.

—¿Cuál niño? —preguntó Consuelo.

—El niño de mierda que juega a la revolución. ¡Manolo! Si sus padres se enteran . . .

El relojero insinuó algo sexual y Consuelo se quedó muda. ¡Eran capaces de acusarla de pervertir a menores! Lo leyó en las gafas verdosas del hombre y salió del café tratando de disimular el terror que la invadió. Buscaría a Elvira, que vivía escondida en el hostal. Los huéspedes continuaban mirando la televisión. Detrás de la barra estaba Juanín y, contemplándolo con los ojos entrecerrados, Marcelo, encarado en un banquillo alto. Subió y se detuvo en el primer piso. Recorrió los pasillos apagados, por las puertas cerradas de las habitaciones no escapaba ningún indicio de luz. En el segundo piso descubrió una raya de luz y llamó a la puerta con suavidad.

—Elvira . . . Elvira . . ., soy yo, Consuelo Veronda —dijo en voz muy baja.

La puerta se abrió de golpe y ante ella apareció Marcelo, que avanzó dando voces:

—¡La mexicana! ¡Quiere entrar en mi cuarto! ¡Allanamiento de morada! ¡Soy funcionario del Ayuntamiento, del Registro de la Propiedad Privada! ¡La meteré en la cárcel! . . .

Consuelo salió huyendo. No podía encontrar su habitación y apenas pudo introducir la llave en la cerradura de la puerta. Marcelo continuó dando voces, escuchó a Amparo hablando con él y pronto las voces se apagaron. ¿Cómo podía estar Marcelo en ese cuarto si acababa de dejarlo cortejando a Juanín? ¡Le habían puesto una trampa! Fumó varios cigarrillos y trató de no dormir. Muy tarde escuchó voces y amenazas en voz baja. Salió de puntillas y avanzó para atisbar en el pasillo contiguo: era Juanín empujando la puerta del cuarto de Marcelo. "¡No te abro!", decía éste con enfado. Volvió de prisa y se encerró con llave. Había descubierto el misterio de los golpes y las riñas nocturnas. Alguien cerró con precaución la puerta contigua. Recordó a la chica de cabello teñido, a Consuelo, que vivía en la habitación de al lado y sintió miedo. La había sorprendido espiando en el hostal de su padre.

Al día siguiente temió enfrentarse con Amparo y prefirió ayunar. La mujer despedía una frialdad extraña, como si de verdad fuera un enorme batracio que saliera de las profundidades de un pantano helado.

Al oscurecer, ganó la calle en silencio para dirigirse a la Capilla de San Antón. Apenas había dado unos pasos, se encontró con Adelina y con Concha, acompañadas de una desconocida. Las tres se cubrían con un paraguas y sonrieron al verla.

—¿De dónde sales? No te vemos ni en misa.

Afables, la tomaron del brazo y la llevaron al elegante

café en donde se reunieron con Josefina.

—Mi tía no estaba loca ni usaba peluca, ni se pintaba las cejas —le dijo a la mujer de Joaquín, con voz trémula de ira.

—¡Vamos, si lo dices tú! —exclamó Adelina.

Una de las mujeres sentadas a la mesa, se ruborizó y le dio una palmadita en el hombro, se llamaba Covadonga y era hermana de Joaquín. Tenía el cutis rosa y delicado de una inglesa.

—Fue una crueldad lo que hicieron con ella —acertó a decir.

Concha se volvió a Covadonga y clavó en ella sus ojos helados. Adelina se incorporó sobre su silla y las demás guardaron silencio.

—¡Era muy mística la señorita! ¡Muy mística! Pues yo la gozaba viéndola de lejos, riéndose sola, se echaba hacia atrás y se le caía la peluca —dijo con ferocidad.

—¡Pobre mujer! Se moría de hambre. Mi madre le enviaba comida y la encontrábamos sacando piedras del río para molerlas y vender la arena en el mercado. Comprende, Concha, que era muy buena —aseguró Covadonga.

—¡Odiaba a los niñines! ¿Cuántas veces mi pobre padre le rogó que viniera a casa? —contestó Concha, mirando a su amiga para hacerla callar.

Consuelo no entendía nada. ¿De quién hablaban? Las mujeres discutían sin dirigirse a ella ni darle ninguna explicación.

—Se tomaba por una gran señorita. ¡No niegues los humos que se daba! —dijo Adelina.

—¿Quién? ¿Mi tía Adelina? —preguntó Consuelo.

—Sí . . . ¡No!, la otra —contestó Concha, con voz seca.

—Se murió de hambre —insistió Covadonga.

—¡Mira mis manos! ¡Míralas! Yo trabajo, pero la señorita era tan mística que no podía trabajar, todo eran alabanzas al Señor —gritó Adelina.

Covadonga calló, era inútil discutir con sus amigas. Para disipar el mal ambiente, Josefina ordenó unos pastelillos y habló de la noche en que se incendió el pueblo. Todas recordaron las llamas, que contemplaron desde lo alto de la montaña adonde huyeron a esconderse. Consuelo recordó la carretera y las voces de sus padres, que la sacaron del pueblo para salvarle la vida.

—¡Esa fue la noche fatal! ¡Fatal! —aseguró Covadonga.

Sí, había sido fatal. La mujeres comieron los pasteles y guardaron silencio. Concha se volvió a Consuelo.

—Parece que eres muy amiga de Gil. Está tochu por ti. Le gustan mucho las mujeres. ¿Verdad, Adelina?

Las dos hermanas se echaron a reir. Covadonga, Josefina y la otra invitada se retiraron, era muy tarde y como seguramente la lluvia iba a arreciar, no deseaban mojarse. Un rato después salieron Concha y Adelina acompañadas de Consuelo. En la calle las dos hermanas volvieron a reir. ¡Pobre Josefina, con el fracasado del marido!

—¿Sabes que al padre de Josefina lo fusilaron los azules? —le preguntaron.

—No sé nada . . .

Llovía a cántaros y Adelina, para hablar de la miserable vida de empleado de Joaquín, se internó en el jardín abandonado atrás del kiosko de periódicos. En el fondo, bajo el tejadillo de una discoteca clausurada, continuaron hablando. Consuelo escuchó los chillidos destemplados de una guacamaya.

—Es un pájaro de América, está ahí —explicó Adelina, y señaló vagamente hacia un muro.

Consuelo corrió para encontrar a la guacamaya encerrada en una jaula que colgaba del muro. El animal lanzaba alaridos y ella se identificó con el pájaro de plumaje raído, dispuesta a morir de tristeza bajo la lluvia pertinaz. Concha y Adelina sonrieron y de la oscuridad surgió Manolo, con su enorme paraguas negro, abierto como un hongo peligroso. El muchacho cogió a Consuelo por un brazo y se alejó con ella a través del jardín inundado por la lluvia.

—Las dos paisaninas sabían que te esperaba, por eso te trajeron. Querían estar seguras de que íbamos a vernos. No fuiste a San Antón. ¡Malo! ¡Malo! Anoche llevaron a Elvira a la cárcel. Todo lo haces mal ¡coime! Te dejaste pillar por Marcelo. Ve mañana a la cárcel y que nadie te vea. Severina te espera.

Consuelo advirtió la impaciencia del chico. Ella hacía todo mal y él giraba sobre sus talones, para luego enfrentársele nuevamente y dar órdenes.

—¿Severina es de fiar? —preguntó ella.

—¡Completamente! Es fascista, pero no importa. No mata una mosca.

—¿Es uno de tus contactos?

—¡Uno! Sólo uno. Esto no se lo he dicho a nadie. ¿Oíste? Nos va el cuello a muchos. Si no estás dispuesta a obrar como un buen elemento y a tener conciencia de clase, es mejor que no vayas a verla.

Puedes fastidiar a mi organización. Lo sentiría por Severina, que sólo es una come-hostias. ¡Vaya con la manía de Severina de tragar una hostia cada día! . . . ¡Hostia, digo yo!

—Iré con mucha cautela —prometió Consuelo.

—No hables con esas mujerucas que se dicen tus parientes. Las dejé pegadas al suelo ¿Te fijaste?

Les llegaron nostálgicos los alaridos de la guacamaya, su llamado sonaba trágico en la noche lluviosa.

—Manolo ¿podrías hacer algo por la guacamaya?

El chico dio una patada en el suelo y salpicó de lodo a su amiga.

—¡No había pensado en ella! Espera, primero mataré a todos los fascistas y liberaré a la pájara esa. En este pueblo sólo vamos a quedar la pájara, la organización y tú —prometió satisfecho.

Se dieron cita para el día siguiente al pie de la estatua de Don Pelayo.

—¿Sabías que Pelayín era un fascista? ¡Hombre, tenía más prejuicios raciales que Hitler!

Y el chico se perdió en el jardín chapoteando en el agua y haciendo girar su enorme paraguas negro. La soledad oscura del pueblo cayó sobre Consuelo como una campana de vidrio. Se hallaba dentro de una jaula expuesta a todas las miradas y sin la posibilidad de que nadie la escuchara. Al llegar al hostal, Amparo le salió al paso y solícita le preparó pan y vino, pues los huéspedes ya habían cenado.

—Si me hubieras dicho que deseabas ver a Elvira, hubiera logrado que te recibiera. ¡Quedó tan desfigurada, y con lo guapa que fue! ¿La recuerdas? Paseaba con sus galgos blancos . . . ¡era impresionante verla! Mi madre le cosía a ella y a tu tía Adelina. A veces yo entraba en sus casas ¡Qué lujo! Ya todo se acaba, es una pena, Elvira se marchó, no quiso que la vieras desfigurada . . .

Amparo hablaba como para ella misma, aunque de vez en vez observaba a su interlocutora con una ansiedad mal disimulada. En su dulzura se ocultaba una ira por la indiscreción cometida por Consuelo la noche anterior. Consuelo comió el pan con queso, en silencio. Sabía que Amparo le estaba mintiendo y que ella se encontraba en el centro de una madeja de embustes, que tarde o temprano descifraría. La voz falsamente dulce de la hostelera la irritó. "¿Por qué si eres tan buena me dejas sin agua en los grifos del baño, escondiste a Elvira y la sacaste cuando me enteré de que se alojaba aquí?" Le hubiera querido preguntar, pero calló. Amparo permaneció junto a ella, observándola. Los huéspedes salieron del cuarto de la televisión y comentaron en voz alta el anuncio de la huelga general fijada para una fecha próxima. Estaban contentos, los alegraba la noticia y esperaban desórdenes.

—¡Bah! No hay que hacer caso. Aquí en España nunca pasa nada —sentenció Amparo.

A la hora del desayuno la dueña del hostal se acercó a Consuelo y le tendió una carta que venía de Madrid. La escritura era desconocida, rasgó el sobre y busco la firma: "Tu hermana que nunca te olvida, Estela". Consuelo leyó varias veces la misiva bajo la mirada inquieta de Amparo. ¡Estela estaba muerta y en sus líneas le reprochaba el haberse alejado de Madrid, "donde la pasaban tan estupendamente bien"!

—¿Buenas noticias? —preguntó Amparo.

—Muy buenas . . . es de mi hermana . . .

La mujer se mordió los labios y Consuelo se fue a la calle inhóspita a reflexionar sobre aquella broma macabra. Recordó a Elvira y se dirigió a la cárcel. Al llegar al callejón cerrado donde se hallaba el antiguo palacio, se encontró con Alberto, el relojero. Deshizo sus pasos y se encaminó a la estatua de Don Pelayo. ¡Era increíble que aquel pueblo luminoso encerrara a tantos seres mezquinos! Debía volver a buscar a Elvira. Rehizo el camino y se encontró entonces con la chica del cabello teñido de rubio plantada frente a la prisión en actitud desafiante. La muchacha masticaba chicle y a la luz del día resultaba gorda y grosera, metida en sus pantalones estrechos. Por la acera de enfrente patrullaba el relojero. Era evidente que estaban allí para impedirle entrar a ver a Elvira. Poseída de ira se fue al café "Saltillo". El relojero llegó casi inmediatamente y ocupó una silla en su propia mesa. Observó sus dedos gordezuelos con uñas carcomidas.

—Ese niño es marxista. Usted no lo ignora —dijo el hombre, con su voz cortada.

—¡Qué catástrofe! —contestó ella con voz burlona.

—Es extraño, que ande con usted tan a deshoras . . . —comentó el relojero.

Observó sus dientes disparejos que armonizaban con

sus uñas, y cogió su bolso para marcharse.

—Parece que tuvo usted una carta de su hermana . . .

Salió del café con la seguridad de que la espiaban y un escalofrío le corrió por la espalda. En el café de los choferes la esperaba Perico, cuchicheando con el propietario. Al verla, sonrió con la misma sonrisa de batracio de su hermana Amparo. Le cerraban los caminos y se volvió al hostal. "Por la tarde iré a ver a Elvira", se prometió disgustada.

A la hora de la comida todos la miraron: estaban ya al corriente de que su riquísima hermana le había escrito desde Madrid, sólo el ex Comisario de Policía parecía inquieto.

Por la tarde se dirigió nuevamente a la cárcel. Allí estaba, flanqueada por dos edificios modernos situados en las esquinas de entrada al callejón. Al fondo, sentada en las gradas de piedra del Palacio en ruinas, distinguió la figura gorda de la chica de cabello teñido de rubio, la hija de Perico. "¿Por qué me impiden ver a Elvira?" Se alejó furiosa: "Si me sorprenden, Manolo no me lo perdonará más", se dijo. Vagó por el pueblo sin atreverse a salir a la carretera. El recuerdo del paseo a Peña era una advertencia y por ella, como por su tío José Antonio, nadie reclamaría. Al oscurecer hizo un nuevo intento y se aproximó a la cárcel. Desde la esquina vio sus ventanas apagadas "Ya es tarde", dijo el relojero, quien surgió a sus espaldas acompañado de Perico. Se desvió a un callejón y dio unos cuantos pasos, "Me tienen cercada, me tienen presa", se dijo indignada. Un olor a perfumes y a jabones la distrajo de su cólera. Pasaba frente a una tiendecita de luz rosada, entraría y compraría lo más barato y luego volvería a la cárcel. Dentro se encontró a Covadonga, la hermana de Joaquín.

—¿Trabajas aquí?

—Soy la dueña . . .

Charló con ella teniendo la debida precaución y fumó un cigarrillo. El recuerdo de Concha y Adelina se interponía entre las dos. Observó a la dueña del pequeño establecimiento, era rubia y rosada y escondía la verdad con sonrisas y palabras banales. La cólera le subió a la garganta.

—¿Por qué Concha y Adelina usan mi nombre? —preguntó, mirando a su interlocutora con fijeza.

Covadonga dejó caer el cigarrillo y su sonrisa se apagó. Le repitió varias veces la pregunta y ante la mudez de la propietaria agregó:

—Son nietas de Lolina, la sillera, a la que nunca se le conoció marido. Mi padre no tuvo ninguna hermana llamada Lolina, ni ningún hermano llamado Alfonso, ni Ramiro, ni Enrique, ni Antonina. ¿Por qué usan mi nombre? —insistió.

—No lo sé . . . En realidad yo traté a Concha después de terminada la guerra. Nos conocimos en la escuela . . . Déjame ver, ellas vivían en una casa vieja que ya no existe. Eran muy pobres, muy pobres . . .

—No me interesa que fueran pobres o ricas. Me interesa saber por qué se han apropiado de mi nombre.

—No lo sé . . . no lo sé . . . Ahora recuerdo que siempre me he preguntado por qué las dos tienen alhajas tan antiguas y magníficas, si eran tan pobres. Además, nunca las usan; pero me las han enseñado. Dicen que se las regaló su abuela Lolina, que era camarera de barco en aquellos tiempos . . .

—Camarera de barco —repitió Consuelo, sorprendida.

—Sí, iba a Cuba y venía. Los pasajeros le regalaban alhajas . . . ¿Tantas alhajas? Es un poco extraño, ¿no te parece? Un pasajero regala una tabaquera, un recuerdo, pero no tantos diamantes . . . Eso me han dicho . . .

Covadonga encendió un cigarrillo y trató de descifrar el enigma de las alhajas. Consuelo miró a la mujer rubia envuelta en la luz rosada de la tienda, y recordó otro resplandor, el de la noche del incendio.

—Saquearon la casa de mi tía Adelina la noche del incendio ¿Verdad?

—Eso he oído . . .

—Pablo tiene fotografías manchadas, como si hubieran estado tiradas en el jardín —dijo Consuelo.

—Las he visto y tengo la misma impresión que tú . . . —contestó Covadonga.

—¿Quién era Antonina? —La hermana de Lolita, la sillera. Vivió un tiempo con tu tía y luego la pobre murió de. . . hambre. ¿Has visto la casuca en la que vivió? Se quedó sola, se sentaba en una piedra y reía. Adoraba a los niños y nosotras íbamos a verla. Es verdad que una tarde se cayó de la piedra y. . .

—Mi padre nunca tuvo una hermana llamada Antonina —repitió Consuelo.

—Molía piedras hasta hacerlas arena y llenaba sacos para venderlos . . .

Covadonga hablaba en voz baja, recordaba algo que todavía le producía pena. La tienda se cubrió de tristeza, fantasmas trágicos y gritos melancólicos.

—Pregúntale a Gil por qué llevan tu nombre. El es muy amigo suyo y trabaja en el Ayuntamiento.

—¿Gil? Ramiro me acusó de ser comunista y a él lo acusa de ser fascista. No entiendo su amistad.

Covadonga la escuchó atenta, se ruborizó, apagó el cigarrillo y exclamó:

—¡Dios mío! ¡Dios mío! Van a matar a mi hermano. ¡Van a matar a mi hermano! . . .

Al escucharla, Consuelo se paralizó de terror. Recordó a su tío José Antonio, rubio, risueño, vestido de negro y lo vio caminando por la carretera de Peña . . .

—¿Los padres de Ramona vivían en Peña? —preguntó en voz baja.

—No. No sabemos quiénes eran sus padres. Creo que eran árabes o sirios. Su padre huyó después de lo de Oviedo. Sus hermanos huyeron a la Argentina, uno acaba de morir . . . No estoy segura, pero sé que la casa de Peña era de ustedes. La arrendaban a alguien . . .

La campanilla de entrada vibró con energía y ambas se sobresaltaron, era peligroso asomarse al pasado. Entró Severina, agitada. Se diría que había competido en una carrera y traía las mejillas encendidas. Las dos mujeres le regaaron un beso y la vieja las miró con tristeza y se quedó muy quieta. Covadonga rompió el silencio.

—Recordábamos aquellos tiempos, Severina, y yo dije que van a matar a mi hermano . . . Sí, lo van a matar —repitió con voz trágica.

—¡No digas tonterías! Ya te mataron a dos y a tu padre, ¡eso ha terminado! —contestó Severina.

La carcelera se quejó de su soledad. Había estado muy enferma, las noches eran largas y estaba angustiada. Agradecería que cualquiera fuera a visitarla. Consuelo entendió que podía ir más tarde y guardó silencio.

—Hablábamos también de su tía Adelina . . . —dijo Covadonga.

Severina se cubrió el rostro con las manos, se diría que iba a llorar. Estaba nerviosa.

—¡No hay que hablar de eso! ¡No! No hay que hablar —dijo.

En los ojillos azules de Severina había nubes tormentosas cuando abandonó la tienda. Ellas guardaron silencio, asustadas por la orden dada por la carcelera, después de unos segundos, Covadonga se inclinó sobre Consuelo para confiarle un secreto:

—Todo viene de Ramona. Lolina no quiso nunca que se casara con Pablo . . . Si supieras lo mala que es esa mujer . . . ¡lo mala!

—¿De dónde salió?

—Nadie lo sabe. Te doy un consejo: ¡no investigues nada! —recomendó Covadonga, en voz baja.

Al salir a la calle, Consuelo se encontró frente a Perico, que rondaba la cárcel, y regresó al hostal sin haber podido hablar con Severina. Apenas cenó, las miradas de los huéspedes estaban fijas en ella y salió huyendo. ¿A dónde ir? Se refugió en el "Saltillo". Después buscaría a Severina. Apoyado en la barra estaba el relojero, mirándola. ¡Maldito pueblo, no existía un lugar en el que pudiera refugiarse un rato! Desde lejos vio a Eulogio, charlando con el propietario del café de los choferes y se abstuvo de entrar. Recordó a la guacamaya y fue en busca de ella. Desde lejos escuchó sus gritos lastimeros y casi a tientas se acercó a la jaula. El animal sintió su presencia y dejó de gritar. Los dos eran extranjeros: gritarían, llorarían y nadie vendría en su ayuda, la guacamaya se acercó al alambrado tupido y Consuelo trató de acariciarle el pico. Después se sentó en el suelo a esperar y fumó varios cigarrillos. "¿Ves tú?, somos dos parias". Le dijo al pájaro y éste aprobó sus palabras. Esperaría a que avanzara la noche para ir a buscar a Severina, mientras sus espías dormían. Ella y la guacamaya sabían que estaban en un pueblo impío, un pueblo endemoniado. Ella no se quejaría a gritos como lo hacía el pájaro inocente, encerrado en una jaula expuesta a la lluvia y al frío. Escuchó al reloj de la iglesia dar las once, se puso de pie y se despidió del animal. Con paso rápido se dirigió a la cárcel.

Cruzó las calles desiertas y alcanzó el portón abierto de la cárcel apagada. La oscuridad del zaguán era total y la espesura de las sombras frías como bloques de hielo. Encendió varias cerillas y casi a tientas buscó la gran escalera de madera reseca. Las cerillas se extinguían con velocidad y Consuelo se quemaba los dedos y detenía el paso. Subió trabajosamente, en el primer descanso las llamitas parpadearon ante las puertas de "Juventudes" y "Siberia". "A esta hora todos duermen en el pueblo", se dijo mientras continuaba subiendo. En el segundo descanso distinguió una puerta y golpeó sobre su madera compacta. ¡Severina! ¡Severina! Ya voy, ya voy —contestó la mujer.

Se corrieron cerrojos y apareció Severina metida en su

traje de trapo negro. La mujer la hizo entrar en un cuarto de techo altísimo, con las duelas y los muros pintados de color de rosa. Había allí algunas sillas oscuras y muchas fotografías prendidas a los muros. El río brotaba del suelo como un manantial permanente. Era curioso aquel lugar de proporciones nobles reducido a aquella miseria con toques de ternura personal. La luz era muy tenue y el silencio grave. Severina se llevó un dedo a los labios y la miró ansiosa. —Vamos más adentro, estaremos mejor —le dijo en voz muy baja.

Entraron en otra habitación enorme en la que el frío se había aposentado para siempre. "Debió haber sido un salón elegante", se dijo, mientras Severina le ofreció asiento frente a una mesa cubierta por un mantelillo barato. Permaneció de pie, un poco asombrada y sin saber qué decir, a sabiendas de que Severina la observaba con sus ojillos azules listos para echarse a llorar. "Hay algo que anda mal, muy mal. Este palacio convertido en cárcel", se dijo no sin cierto asombro. Adosado a un muro de piedra había un trastero con juguetes de porcelana barata y dos bujías de cera ardiendo, el único lujo. El resto del mobiliario lo conformaban unos sillones baratos y unas repisas cargadas de fotografías. La escasez de muebles hacía que el enorme salón pareciera abandonado. Severina se sentó frente a ella, apoyó los codos sobre la mesa y escondió el rostro entre las manos, mientras murmuraba.

—¡Qué lástima! . . . ¡Qué lástima! . . . Tardaste tanto en venir y rondaste tanto por aquí, que se llevaron a la señora Elvira. No sabes hacer las cosas, rica . . .

—¿Se la llevaron? —preguntó Consuelo, indignada.

—Hoy al oscurecer. ¿Recuerdas cuando entré en la tienda de Covadonga? . . . Fui a avisarte que Perico y Amparo la estaban sacando. Severina calló y ella dejó caer los brazos: ¡la habían burlado! Ahora era tarde. . .

—Podrás verla en Madrid. Ella quiso mucho a tu tía

Adelina. ¡Pobre señora Adelina!

La escuchó decir. ¡Sí, pobre tía Adelina!. . . pero no pudo pensar en ella. El rostro de batracio apacible de Amparo y la voz untuosa de Perico, su hermano, se interponían entre ella y su pena. ¿Qué se proponían aquellos dos cuerpos engrasados?

—¿Recuerdas a la señora Teresa? Yo era su doncella y la tarde en que empezó el peligro, nos fuimos a la casa junto al río. Creímos que era más seguro estar todos juntos . . . ¡Qué desastre!

Severina calló, perdida en recuerdos que todavía ahora la paralizaban de terror, y Consuelo no se atrevió a interrumpir su silencio.

—Ya había caído la noche cuando empezaron a acercarse y la señora Teresina y yo huímos por detrás de la casa. Ella dejó sus ropas de señora, iba vestida como yo. Atravesamos el campo y la escondí en el monte, cuando al día siguiente bajé por comida me detuvieron. ¡Aquí en esta cárcel estuve presa; desde aquí vi cuando se llevaron al Padre Fana. . .!

—¿Cuándo lo cogieron? —preguntó Consuelo, tiritando de miedo.

—Al mismo tiempo que a mí, cuando ya había sucedido todo . . . Estábamos apiñados, no cabíamos en las celdas, hombres y mujeres juntos, los traían de los pueblos . . . Eramos fascistas. ¿Comprendes? Tu tía y la señora Teresina eran tan amigas . . . ¡Qué pena, qué pena más grande! Lo que yo he visto . . . Estábamos los pobres y los ricos revueltos, todos revueltos . . . La vida no es eso . . .

—¿Y mis tíos José Antonio y Adelina?

La carcelera se echó a llorar en silencio, cubriéndose el rostro con las manos. Era un ser mitológico venido de las profundidades del pasado, Consuelo la miró fascinada. ¡Severina poseía todos los secretos! Tenía las llaves de aquel purgatorio por el que habían pasado todos; era una especie de antesala de la muerte o de la vida, por eso lloraba. Conocía las miserias y las grandezas de los hombres y lloraba con lágrimas humildes, incapaces de remediar los males o de producir milagros. Sólo era el valioso testigo de tragedias pasadas condenadas a repetirse, de ahí sus lágrimas. Alguien interrumpió aquellos minutos sorprendentes llamando con furia a la puerta de entrada. Severina se descubrió el rostro lavado por las lágrimas y escuchó tensa.

—¿Tomaron a alguien preso? . . . Si todavía no pasa nada . . .

Con el terror dibujado en el rostro se puso de pie. La violencia de los golpes amenazaba con echar la puerta abajo.

—¡Soy Gil! . . . ¡Abre Severina! . .

—¡Voy! . . . rica, debe saber que tú estás aquí —dijo, al tiempo que corría con las llaves en la mano.

Consuelo la vio cruzar el enorme salón y salir. Después la escuchó abrir la puerta de entrada y vio entrar a Gil con las ropas verdes y viejas en desorden y el rostro descompuesto. Severina entró tras él.

—¡Vamos a ver! ¿A qué ha venido usted aquí? —le preguntó el hombre, encarándose a ella.

—A visitar a Severina —contestó con frialdad.

—¡No! ¿A qué ha venido usted al pueblo? No me diga que de turista. Usted no tiene una perra gorda. ¿A qué ha venido? ¿A buscar trabajo? Yo sé lo doy ¿Dónde quiere trabajar? —la voz del hombre llenaba la habitación y retumbaba sobre los muros de piedra. Sus ademanes eran dislocados y su rostro estaba lívido.

—No quiero trabajar en ninguna parte.

—¡Ah! No quiere trabajar. Pues en España no queremos parásitos, ni señoritos. ¡Yo soy un trabajador! —vociferó el hombre, dando paseos desordenados y ajustándose los pantalones verdes.

Severina, de pie en la habitación, contemplaba muda el

espectáculo, con el rostro intensamente encarnado y los brazos colgantes.

—¡Pues trabaje y que le aproveche! ¿Pretende ser señorito con esa pinta que tiene? Estoy aquí porque quiero saber qué sucedió con mi familia —afirmó Consuelo, con desdén.

—¡Usted nunca tuvo familia! ¡Carajo!

—¡Basta de chillarme, malvado! Severina conoció a mi familia —gritó Consuelo, poniéndose de pie. El hombre se volvió a Severina y bajó la voz. La mujer pareció aterrarse.

—Dime Severina ¿A quién le debes la comida? ¿No me lo debes a mí? ¿No fui yo el que logró que te pagaran la pensión de tu marido? ¡Dilo, Severina, dilo!

—Sí, pero acababan de arreglar lo de las pensiones, Gil. Arreglaste lo que ya estaba arreglado —contestó la mujer.

—Severina, tú no quieres ir a la calle. ¿Verdad? Pues dile a esta señora que ha venido a joder a todo el pueblo, que nunca tuvo familia aquí. ¡Dilo, Severina, dilo! —gritó exasperado.

Severina se sentó con calma a la mesa y Consuelo la imitó, mientras que Gil continuó de pie y repitiendo: "¡Dilo, Severina, dilo!"

—No puedo decirlo, yo conocí a su familia.

—¡Joder! Tú no conociste a nadie.

—También yo la conocí —vociferó Consuelo.

—Gil, la señorita Consuelo se marchó del pueblo mucho antes de que vosotros llegarais de Segovia. ¡No puedo engañarla!

—¡Joder, Severina, joder! ¿Dices que no vivimos siempre aquí? ¿Acaso no es mi padre el dueño de la central Eléctrica? Escuche, señorita de mierda, yo soy millonario y trabajo. ¡Trabajo!

—Gil, tu padre se quedó con la Central después, primero era de don José Antonio . . .

78

—¡Me cago en tu puta madre! ¿Qué dices? Si tú aquí no eres nadie. ¡Nadie te conoce! ¿Cuántos años hace que llegaste al pueblo? ¿Cuatro? . . . ¿Cinco? . . .

El hombre dio algunos pasos, giró alrededor de Severina, mirándola como si quisiera pulverizarla con sus grandes orejas alertas a las palabras de la vieja y sus ojos enrojecidos por el alcohol.

—Gil, yo ya soy muy vieja. Estuve presa en esta cárcel y he visto muchas cosas . . .

—Tú no has visto nada. Lo único que has visto son los favores que me debes —rugió el hombre, golpeando la mesa con el puño cerrado.

—Estuve presa, Gil, luego me soltaron y corrí a buscar a mi señora . . .

—¡No me jodas con tu señora! Tú aquí no tienes más señor qué yo, que soy igual a ti: un trabajador, aunque mi padre está podrido en millones. Severina: ¿no me eligió a mí el pueblo? ¡A mí, porque soy del pueblo!

—Sí, Gil, te eligió el pueblo, pero yo debo decirle a la señorita lo que sucedió con su familia —insistió Severina.

—¡Me cago! ¿No entiendes que debes callar? ¿No entiendes que nunca tuvo familia?

La vieja permaneció muy quieta bajo la mirada iracunda del hombre, que parecía dispuesto a golpearla. Consuelo sintió que Severina estaba en peligro, vio sus ojillos azules dispuestos al sacrificio y decidió irse para no provocar a aquel demente.

—Severina, no digas nada —le ordenó a la vieja.

"Este se quedó con el dinero de mi familia y les dio el nombre a los impostores . . ." "¿Por qué?", se preguntó, mirando al hombre, que repentinamente se había calmado y que la observaba con astucia.

—No sé lo que desea la señora —le dijo Gil, haciéndole una reverencia.

—No haga reverencias, le van mejor las palabrotas. Severina, vendré en otra ocasión.

Se puso de pie y abrazó a la vieja. La mujer la acompañó a la puerta para encender la luz de la escalera.

—Busca al señor Fernando en Rivadesella. El sabe todo. Manolo está enterado de lo del Banco. Ven mañana, rica . . . —le dijo en voz baja, y volvió a su vivienda.

Consuelo bajó corriendo las escaleras, tenía miedo. Hubiera deseado no escuchar jamás a aquel hombre. Ganó la calle solitaria y se volvió a ver la fachada de la cárcel; le pareció irreal, era como si tuviera un mal sueño. La ventana de Severina continuaba iluminada. Caminó de prisa y escuchó sus pasos solitarios rompiendo la noche. Cruzó un parque grande en el que los árboles parecían personajes amenazadores. Detrás de sus troncos podían ocultarse los amigos de Gil. El cielo alto permanecía inocente a los crímenes que se cometían bajo sus transparencias azules y plateadas. ¡Le habían impedido ver a Elvira! A la pobre mujer la tenían secuestrada. Nunca debió regresar al pueblo; era un pueblo maldito. Deambuló por sus calles y pasó junto a la casita abandonada en la que vivió Antonina. Ahora sabía que era allí en donde la vieja murió de hambre. A esa hora, la casita se despegaba más del resto de las casas, a sus espaldas. Recordó haber dicho a Ramona: "Me gustaría vivir en esta casa y si tuviera dinero la compraría"

Ramona contestó: "¿Esa casuca?", y le explicó que valía una millonada. La casita era de piedra, sus ventanas estaban condenadas y la escalera de piedra adosada al muro carecía de barandal. Se diría casi conventual. "Alabanzas al señor", había dicho iracunda la hermana de Concha, que llevaba el nombre de su tía. La casita estaba terriblemente sola y muda; pero ahora ella conocía su secreto. Volvió al centro del pueblo dormido y sus pasos cantaron su derrota. En la calle principal, frente a donde se hospedaba, encontró una pareja de guardias ¿Que sucedía? La pareja se dirigió a ella.

—Documentación —dijeron con voz pausada.

Mostró su carnet. Los guardias eran viejos. Examinaron el documento y se lo devolvieron. Era la primera vez que le pedían los documentos.

—¿Pasa algo, guardia?

—Nada.

Los guardias la miraron como si trataran de no olvidar sus rasgos, saludaron y volvieron a su puesto. La calle formaba parte de la carretera y quizás vigilaban el paso de los vehículos.

Una vez en su cuarto, pensó que no le había gustado que le pidieran el carnet. Tampoco le gustaba el pueblo, tenía algo demoniaco. Se echó en la cama y la escena con Severina y con Gil la dejó aturdida. Iría a Rivadesella a hablar con el señor Fernando. Tomaría el primer autobús para impedir que la siguiera el relojero. No se dejaría intimidar por los gritos de Gil, ni por las sonrisas de sus cómplices. Trató de dormir un rato.

Era noche cerrada cuando abandonó el hostal para tomar el autobús. Llovía a cántaros y el cafetín de los choferes todavía estaba cerrado. No tenía un lugar de espera. El "Saltillo" estaba abierto y apagado. Al entrar le salió al paso una mujer.

—Está cerrado, yo vengo a hacer la limpieza —le dijo burlona.

Eran las cinco de la mañana, se había adelantado una hora. Le suplicó a la criada que le permitiera esperar allí dentro y le diera un café. La mujer accedió y Consuelo ocupó un rincón vecino a un ventanal que daba al pequeño jardín público. Desde allí vio que alguien encendía una luz en el hostal. Trató de hacerse muy pequeña en la penumbra del café. Pensó que todo le salía mal: quería pasar inadvertida y todos notaban su paso. Se hundió en meditaciones sombrías, tal vez era mejor tomar el autobús y no volver jamás al pueblo. ¿Y su equipaje? No podía abandonarlo, era lo último que le quedaba en el mundo. Lo más importante era las fotografías de sus padres, y perderlas era como volver a quedar huérfana. A sus espaldas alguien llamó con los nudillos sobre el vidrio de la ventana. Al volverse, se encontró con Manolo. Con señas, éste le ordenaba salir. Se reunió con su amigo y ambos se internaron por el jardincillo, cerrado por la fachada del internado para señoritas.

—¿Como supiste que estaba aquí?

—La clandestinidad enseña muchos trucos. ¡Estuvo pésimo lo que hiciste anoche¡ ¡Pésimo! No sabes desenvolverte y temo que si continúo ayudándote, acabemos mal los dos. ¿Por qué no fuiste a Pelayo? Te esperé a pie firme. ¿No sabes que las citas son sagradas? Tenía que decirte lo del Banco, pues yo sigo con mis investigaciones.

Consuelo vio que en el internado para señoritas se encendían algunas luces y tuvo miedo, pues Rosa, la maestra de arte, podía pasar en cualquier momento y sorprenderlos.

—¡Esa! . . . No temas. Duerme como un borracho. ¡Cuidado con ella!, la paisana es fascista. La conozco, pega más que un guardia. Le debo magullones, es mi maestra; pero no te preocupes, la tengo en la lista.

—¡Estás loco, es roja! Su hermano no puede entrar a España —afirmó Consuelo.

—¡Hombre, contigo se entera uno de cada cosa! Creía vivir en un pueblo de fascistas y ahora resulta que todos son rojos. ¡Eso sí que me hace reir! Dime ¿a quién pongo en mi lista? La Rosa es una tía esquirola, amiga de la poli secreta. ¡A ti te engaña un burro!

Era inútil tratar de convencerlo, estaba allí para darle instrucciones concretas; sin embargo, lo interrumpió: ¿qué podía decirle del hermano de Perico y de Amparo, muerto por las golpizas de la policía? Ese pobre hombre era detenido a cada dos por tres y ¡pumba!, ¡pumba!, ¡pumba!, vengan palizas. Manolo la escuchó con asombro.

—¿Eso te dijo el tío? Su hermano murió el año pasado,

tenía el hígado hecho polvo. ¡Se ponía cada cruda! Los dos tenían una charanga y armaban líos de borracheras. Además, trabajaba por las tardes en el Ayuntamiento, mientras que Perico maneja el juego en el sótano del hostal y despluma a los paisanos. Con que ¡pumba!, ¡pumba!, ¡pumba! . . .

Y Manolo se echó a reir a carcajadas, sin temor de despertar al pueblo entero. La lluvia arreció y el chico se dio cuenta de que Consuelo estaba empapada y dejó de reir.

—¡Hombre, un paraguas no vale nada! . . .

Era increíble que careciera de dinero para comprarse un paraguas. Le dejó el suyo y le dio las instrucciones.

—Vamos a lo del Banco. Mi abuelo también era cartero. Te lo digo para que entiendas, desde ese tiempo tu tío José Antonio recibía todos los meses una gran cantidad de pesetas ¿comprendes? Murió tu tío, pero las pesetas siguieron llegando. ¡Calcula tú lo que hay allí! Por eso quieren que te marches. No sé cómo se las arreglarán para cogerlas. Anoche reñiste con Gil y le diste el chivatazo. ¡Malo, malo!

Consuelo lo vio girar sobre sus talones y volver a encararse con ella, que había guardado silencio.

—En Rivadesella busca a este hombre y vuelve temprano, que a lo mejor se arma algo . . .

Le dio un papel con un nombre y una dirección y prometió estar en la estación del autobús a las cinco de la tarde; después se alejó con paso rápido. Consuelo lo vio desaparecer entre las brumas y la lluvia.

Frente al café de los choferes ya habían colocado el autobús, subió y trató de esconderse detrás de la ventanilla; pero cuando el vehículo pasó frente al hostal, Amparo se hallaba en la terraza y le hizo señales de adiós. ¡Era inútil, siempre la espiarían!

En los muros de Rivadesella aparecían escritos en letras rojas llamamientos a la huelga general, se quedarían sin luz, sin gas y sin correo. Caminó distraída buscando la dirección del señor Fernando. ¡Bah!, huelga general, eso no solucionaba su problema, quizás sólo podía obligarla a quedarse en el pueblo aislada y en medio de aquellos personajes peligrosos. Ni siquiera sabía para qué iba en busca del señor Fernando. Con desgano tiró de la campanilla de un enorme portón labrado. Un criado viejo, al escuchar su nombre la hizo pasar y ambos subieron una escalera alfombrada y entraron en un salón de tapicerías y muebles oscuros. El criado salió y ella se sintió intimidada. Escuchó el tic-tac del reloj de péndulo y recordó a su perseguidor, el relojero. ¿Para qué buscaba al señor Fernando? Estaba muy cansada, apenas había dormido y la humedad de sus ropas le producía escalofríos. Entró un hombre joven que se inclinó ante ella y le besó la mano.

—¡Señorita Veronda, cuántos años la esperó mi padre! —exclamó.

No supo qué decir. El joven habló con emoción de la amistad que unía a sus familias y de los tiempos en los que los Veronda eran dueños de casi toda la comarca. "¡Ah, recuerdo a mis abuelos y a mis padres hablando de la magnificencia de las casas y las carretelas de su abuela!" Consuelo escuchó en silencio y admiró el entusiasmo del joven de cabello castaño y ojos claros que hablaba de un pasado, origen de todas sus desdichas. Consuelo le explicó que sólo deseaba saber cómo habían muerto su tío José Antonio y su tía Adelina, pues todos trataban de ocultarle la verdad. El señor Fernando guardó silencio.

—Señorita Veronda, los tiempos han cambiado. Ya no existe el respeto, ni el afecto, sólo privan intereses más brutales. Usted sabe la amistad que ha unido a nuestras familias y en el nombre de esa amistad, le suplico que no investigue nada. Evite todo lo que pueda producirle dolor . . . Además, sería muy imprudente . . . —le aconsejó después de meditar bien sus palabras.

Consuelo le explicó que el único motivo de su vuelta era estar cerca de sus muertos y nadie podía negarle ese privilegio. Incluso había quien afirmaba que su familia nunca había existido. El señor Fernando se mostró inflexible: debía renunciar al recuerdo de su familia, existían individuos que trataban de apoderarse del dinero acumulado en el Banco, incluso tenían cómplices dentro de la institución bancaria para estar al corriente del capital y de los intereses acumulados durante años. Consuelo debía entender que era peligroso enfrentarse a ellos. Esas personas tenían, además, el inventario de las fincas de su familia para reclamarlas al Estado, y el señor Fernando juzgaba que lo más prudente era alejarse del pueblo, buscar a un abogado y ponerlo en contacto con el, para tratar de salvar algo. También el señor Fernando tenía el inventario de las fincas y la cifras depositadas en los bancos, ya que su padre nunca perdió la esperanza de que regresaran los herederos.

—Entonces debo marcharme. . .

El señor Fernando afirmó con la cabeza y, avergonzado, miró al suelo. Después, le pidió que dejara su dirección para estar en contacto con ella.

—No tengo dirección, vivo en hostales de una estrella.

El señor Fernando enrojeció, encendió un cigarrillo y con la vista baja ofreció facilitarle algún dinero. Consuelo enrojeció y ambos se miraron desolados.

—¡No!, de ninguna manera. Arreglaremos todo legalmente . . . si se puede —afirmó ella.

El señor Fernando insistió en ofrecer dinero y ella en rechazarlo. Hablaron de la brutalidad de los tiempos modernos y el criado les sirvió un jerez. "Ha corrido ya tanta sangre . . .", escuchó decir al señor Fernando, cuando la acompañó a la puerta. Hubiera deseado enviarla al pueblo en su automóvil, pero resultaba imprudente. Nadie, absolutamente nadie, debía saber que ella lo había visitado. Era una garantía para la seguridad física de Consuelo.

Prometió abandonar el pueblo y antes de salir a la calle preguntó.

—¿El individuo que está en el Banco se llama Ramiro?

El señor Fernando afirmó con la cabeza y volvió a recomendarle silencio. La trama para apoderarse de la fortuna empezó muchos años atrás. . .

En la calle se sintió aún más derrotada, no sólo era peligroso aspirar al capital, sino a su propio pasado. El señor Fernando se había descompuesto cuando preguntó: "¿Cómo murieron mis tíos?" Padecía un miedo heredado. Caminó calles estrechas y casas de hermosas fachadas. No debía pensar. Se acercó a los barrios cercanos a la playa en donde había edificios modernos construidos por "indianos". Sus fachadas de mosaicos amarillos y verdes eran un insulto. El viento soplaba, frío y salado. El mar estaba frente a ella, inquieto, cubierto de espuma caprichosa. ¡Cuántas veces había añorado aquel mar frío! Ahora le llegaba su yodo, y la sal se mezclaba con su cabello revuelto; sólo deseaba alejarse de allí. ¿Adónde? No quedaba lugar en el mundo para ella. Estaba en la frontera final. Sobre la banca colocada a la orilla del mar leyó las letras rojas: "Huelga General". ¿Qué significaba aquella estupidez? Recordó a los habitantes de su pueblo y le parecieron títeres rídiculos. "Los nuestros", había dicho el relojero, refiriéndose al presidente Carter y sus partidarios. "¡Los nuestros!" ¿Por qué? No había nada más alejado de aquel relojero infeliz que el presidente de los Estados Unidos. Imaginó la risa de los norteamericanos ante aquel personaje de gafas verdosas que paseaba bajo su enorme paraguas negro. Baltasar, el dueño del "Saltillo", lo escuchaba boquiabierto. Era curioso, ambos mezclaban a Carter con Columbo, el detective de la serie televisiva, y para los dos eso era la democracia ¿Y a esos seres fantásticos el señor Fernando temía? Recordó a Himmler, productor de gallinas antes de pertenecer a la Gestapo, y concluyó que tal vez el señor Fernando llevaba algo de razón: el potencial de crimen encerrado en los seres anónimos era infinito. Seguramente Baltasar y el relojero llevarían gustosos el uniforme de verdugo. Se alejó del mar y buscó una fonda barata.

Perdió el autobús y esperó el siguiente. Los viajeros hablaban de la huelga general decretada para el día siguiente. Consuelo sorprendió en sus voces y gestos un regocijo hipócrita. Le parecieron pirómanos con permiso para ejercer el incendio. Continuaba lloviendo sobre los paisajes y los pueblos melancólicos, ajenos a la huelga general y a la tristeza que a ella la invadía. Llegó al hostal a las nueve de la noche. Detrás de los vidrios del bar espiaron su llegada las mujeres con rostros de mariposas viejas. Entre las sombras de la terraza la esperaba Manolo, acompañado de tres chicos.

—Mañana a las cinco de la mañana estalla la huelga. Tú no te preocupes, van a morir todos los fascistas —le dijo con seriedad.

Sus amigos lo escucharon tranquilos y él sacó de su bolso una cadena con la que azotó a la lluvia.

Consuelo recordó a Covadonga: "Van a matar a mi hermano", y escuchó a Manolo preguntar con voz inocente.

—¿Encontraste al paisanín?

—Sí, estuve en su casa . . .

—Aquí ya te jodió un chivato —lo dijo sin dejar de hacer girar su cadena.

—¿Cómo me jodió? —preguntó asustada.

—Parece que por teléfono. Mi contacto no está seguro, me lo dirá más tarde. ¡Pobres paisanines cabrones! Tú no te preocupes, en cuanto empiece la huelga empezarán a morir todos. Y el que te jodió será el primero —aseguró el chico.

Manolo se limpió el agua que corría sobre su rostro y se echó a reír.

—Manolo, nadie me puede joder porque ya estoy jodida —reflexionó en voz alta.

—Te veré más tarde en el "Saltillo". Ya sabré cómo te jodieron y quién lo hizo —afirmó Manolo girando sobre sus talones para mirar a los huéspedes del hostal, que se encontraban pegados a los vidrios.

En el comedor, Consuelo trató de evitar las miradas de todos y fijó la vista en el fondo de su plato. Entró la chica de cabello teñido metida en un pantalón estrecho y un tricot grueso con cuello de tortuga, que la hizo muy semejante a ese animal. La chica silbó un aire de moda y ordenó un filete con patatas; ella no comería el menú sucio y raquítico. Su voz áspera cubrió las otras voces excitadas de los comensales que hablaban de una huelga cuyas consecuencias podían resultar fatales.

—Callen, callen, que no pasará nada. En España nunca pasa nada —ordenó Amparo, y el sonido de su voz produjo que Consuelo dejara caer el tenedor sobre el plato.

—Mañana se servirá usted misma su café —le avisó Juanín.

—¿Aquí habrá huelga? —le preguntó Consuelo.

—En todas partes, y los comercios que abran serán cerrados a pedradas.

Se preparaba el desorden y las viejas jugadoras, de maquillaje cargado, parecían eufóricas. Salió a la calle y vio venir hacia ella al relojero, amparado en su paraguas y esquivando los charcos.

—¿Paseando tan tarde?

—Usted también irá a la huelga —contestó ella.

—¿Qué huelga? Parece usted demasiado interesada. Aquí no habrá ninguna huelga.

Escrutó su rostro bajo el hongo negro del paraguas, tal vez era él quien la había jodido. No leyó nada en el reflejo de sus gafas verdes y se fue al "Saltillo". En la barra pidió un café. Baltasar, el propietario, le dijo con malicia:

—Se marchó, estuvo aquí esperándola.

—¿Quién?

—Su amiguito, el huelguista.

Bebió el café y observó la cara pálida del tabernero; decidió entonces regresar al hostal. Desde lejos, chapoteando en el agua vio avanzar a Ramiro y a Eulogio, ambos discutían algo y se diría que iban al hostal "Pablo está gravísimo", le repetían Amparo y Perico con voz de circunstancias; pero ella permanecía impermeable y se rehusaba a ir a visitar al viejo. Dio una vuelta rápida y se internó en una plazoleta, "también cuando ahorcaron a mi tío el carbonerín estuvo gravísimo", se dijo, alejándose lo más posible de los hijos de Pablo. La lluvia descomponía en rayos multicolores la luz de las farolas y daba reflejos inesperados a las ramas de los árboles. En un rincón del "Saltillo" había visto a Gil; parecía esperar a alguien, tal vez al relojero. "Iré a la cárcel", se dijo, y se dirigió allí. Subió las gradas de piedra y entró en el oscuro zaguán. Emprendió a oscuras la subida de la escalera; no deseaba que ningún resplandor delatara su presencia. Llamó con suavidad a la puerta de Severina.

—Soy Consuelo...

Escuchó los cerrojos y apareció la vieja, que la llevó en silencio a la habitación en que había discutido con Gil la noche anterior. Severina no encendió la luz, se alumbraba únicamente con las luces parpadeantes de los cirios encendidos delante de la Virgen de la Covadonga. La vieja estaba nerviosa.

—Si alguien te ha visto estamos perdidas. ¡Dios mío, ve con cuidado! Ramiro te ha puesto una trampa. Te acusarán de algo... no sé de qué, pero lo van a hacer...

—No puede, no he hecho nada.

Severina la miró con intensidad, como si tratara de convencerla de un peligro que Consuelo no entendió ¿No importaba que no hubiese cometido ningún delito? Ramiro le había calentado la cabeza a todo el pueblo.

—No he hecho nada . . —insistió.

—Tampoco tu tía había hecho nada. ¡Y mira cómo acabó!

—¿Cómo? —preguntó ella temblorosa.

Severina movió la cabeza y se cruzó de brazos: luego los descruzó para dejarlos caer como dos leños sobre la mesa y su mirada se quedó fija en un punto muy lejano, en donde se materializaban personajes del pasado que la visitaban con frecuencia y la dejaban aterrada. Ahora los invocaba y Consuelo esperó sus palabras.

—Antonina, la hermana de Pablo, era la doncella de tu tía ¿Comprendes? La guardaba en casa, aunque no sirviera para nada, porque le daba pena la pobre mujer. Estaba un poco chalada y era tan pobre . . . La señora Adelina le consentía todo y Antonina a veces se vestía de señorita, paseaba por la casa con batas de encaje, desayunaba en la terraza, rezaba mucho y a veces quería meterse de monja y marchaba con las Clarisas. Volvía unos meses más tarde . . . ¡Pobre Antonina! También ella era muy buena, una inocente, y sus hermanos le tenían envidia y la envidia ¡mata! ¡Mata, te lo digo yo!

Severina puso los codos sobre la mesa y se inclinó sobre Consuelo.

—Sus hermanos, los hijos de Lolina, la sillera, rondaban la casa. Ya sabes que Lolina traía un hijo en el vientre después de cada viaje a Cuba. Tuvo muchos hijos y todos ellos iban a misa a la capilla y envidiaban a Antonina. La aconsejaban: " ¡Sácale herencia a esta tía!" La señora le regaló la casa en la que vivían todos. Pablo nunca trabajó, era un borracho . . . Estaba borracho cuando sucedió el incendio. El lo causó, junto con sus amigotes . . . ¡El fuego! El fuego y ellos entraron y nosotros salimos corriendo . . . La señora Adelina no salió, nunca creyó en sus malas intenciones . . . Lo siento, pequeña, lo siento tanto . . .

Consuelo la escuchó aterrada y la vio limpiarse las lágrimas.

—¿La mataron? — preguntó en voz muy baja.

—Eso parece . . . eso parece. Nunca se encontró nada de la pobre señora, ¡nunca! Y eso dijeron los hermanos de Ramona, que entraron con Pablo . . . Antonina se escondió en la casa que ahora tiene el marido de Adelina, la hija de Alfonso, que también entró. Luego, cuando pasó todo, echaron a Antonina. ¿Comprendes?

—Sí, sí entiendo y la dejaron morir de hambre. Después mataron a mi tío José Antonio . . .

—¡Calla! No lo digas. Era por lo de la Central, la querían ellos, ¿sabes? Pero no fue así . . . No, no fue así. Nunca irán a la cárcel. Ramona mandó a su hermano a la Argentina y a Pablo lo mandaron a México para que informara sobre ustedes, y todo se arregló . . .

—Mataron a mi tío para quedarse con el dinero y alguien se los quitó, ¿por qué?

—Todo estaba combinado, usaron a Antonina, se robaron el nombre, ¿comprendes? Dijeron que ella era tu tía; luego la dejaron morir de hambre, cuando ya tu tío había muerto. El no estaba aquí, estaba en Gijón, fue cuando volvió . . .

—Severina, me dijeron que Pablo estuvo tres años en la cárcel. Todos supieron lo que hizo. ¿Quién lo sacó? Ramona me dijo que un cura amigo de mi tía Adelina.

La carcelera negó con la cabeza.

—¡No! No lo sacó un cura. Cuando llegó el padre de Gil al pueblo, hizo el trato en la cárcel. No sé por qué mi marido era el carcelero. Tu tío se quedó muy solo, no hablaba con nadie . . . Y no le llegaban las cartas de tu padre, tampoco salían las suyas . . . —le susurró con voz casi inaudible.

—¿Quién era el padre de Gil?

—No lo sabemos, llegó de Segovia, era fascista. Ten mucho cuidado, hoy estuvieron juntos en la casa de Ramona, Gil y Ramiro . . .    El padre de Gil arregló los papeles de tu familia en el Ayuntamiento . . .

—Entonces ¿él robó el nombre para robar la Central? —preguntó Consuelo.

—Sí, lo planearon con Ramona y con su hermano, que nadie sabe de dónde vinieron: sacaron a Pablo de la cárcel y, entonces, cuando se puso a trabajar, a los pocos días se murió tu tío . . . Arreglaron el asunto con Antonina y Pablo marchó a México por un tiempo . . . ¿ves? ¿Lo ves? Nunca irán a la cárcel . . .

Consuelo escuchó el relato entrecortado de la vieja y la miró aterrada. Era verdad que estaba en peligro, aquellos individuos no retrocederían ante nada ni ante nadie. Sintió que la sangre se le iba a los pies, el rostro rojizo de Severina se alejaba y se acercaba asombrosamente. Comprendió que era una locura, una temeridad haber regresado al pueblo.

—¿Qué hago Severina? . .

—No sé. Ramiro no es borracho como su padre. El trabaja en el Banco y maquina cosas. Te van a acusar de algo . . . Quédate en el hostal, no digas nada, la madre de Amparo era muy amiga de Pablo y ella también. ¡Márchate! . . . Si pudieras marcharte hoy. ¡Dios mío!, que nadie te vea salir de aquí. Gil vive enfrente, por eso no conviene encender la luz.

Quiso irse inmediatamente, pero le flaquearon las piernas. Se dejó caer en una silla y encendió un cigarrillo pero no pudo fumarlo; debía estar en el hostal antes de que Gil abandonara el "Saltillo". Observó la luz parpadeante de los cirios y escuchó decir a Severina: "Sí, rica, sí, el dinero lava la sangre, no hay ideales, no hay nada, sólo hay dinero empapado de sangre . . ." Se quedó con los ojos muy abiertos mirando al vacío: las palabras de la mujer le llegaron de

92

muy lejos. No, no debía haber vuelto al pueblo, "al edén sumergido", había dicho alguien. "Estaba todo tan revuelto y lo revolvieron más . . .", repitió la mujer sentada frente a ella. Comprendió el silencio de sus tíos. La sombra de su tío José Antonio entró en la habitación y hasta ella llegó la voz de Pablo: " ¡Azul, señora! ¡Azul como todos los Veronda!" Se puso de pie y besó a Severina.

—No salgas del hostal, mas que para marcharte del pueblo . . . —le recomendó la vieja.

Salió de la casa en penumbra para ir a la oscuridad total de la escalera. Temblaba. Los escalones se hundían bajo sus pies como abismos negros. "Homicidas, homicidas, homicidas", y continuó bajando: "Pablo, Gil, Ramona, sus hermanos, homicidas", se repitió y recordó el Novenario. ¡Querían que rezara por el sino de su familia! El pueblo entero lo sabía y callaba, espiaban detrás de los miradores su derrota. En la callle se echó a correr hasta llegar al hostal. " ¡Homicidas!", se repitió al cruzar la puerta.

El señor Fernando tenía razón, era mejor no saber nada. Le pareció que los muros de su habitación se estrechaban alrededor suyo. No podría dormir, pensó que debía pedir auxilio, pero nadie acudiría en su ayuda. "Escondieron a Elvira . . .", se repitió. "La loca de la peluca . . .", dijo con rencor y sintió piedad por Antonina, la venganza fue feroz. Nunca imaginó que pudiera tener tanto miedo. Escuchó el silencio nocturno y trató de apaciguar el terror que subía como oleadas por los muros. Pablo estuvo en México y Concha recordaba a Remedios, la peinadora, le habían seguido los pasos durante todos esos años. Tuvo seguridad de que el pueblo entero la vio entrar y salir de la cárcel esa noche. "Te van a acusar . . .", dijo Severina, ¡No podían acusarla de nada! Debería ser tardísimo, las canciones mexicanas que salían todas las noches del "Saltillo" estaban mudas cuando regresó al hostal. Se echó sobre la cama y rezó. No debía tener miedo, Dios estaba con ella. Se tranquilizó y trató de dormir.

No supo a qué hora despertó. Era de día, se asomó a la ventana y comprobó que todo estaba tranquilo. En la ducha, como siempre, no había agua caliente. El agua helada de las montañas la despejó. Decidió su conducta: bajaría absolutamente tranquila. Se vistió con esmero y se persignó antes de abandonar el cuarto.

En el vestíbulo-bar encontró a Marcelo, que al verla levantó los hombros y se fue a la calle. "Este tipo trabaja en el Registro de la Propiedad, también lo sabe . . .", se dijo. Era más fácil vivir cuando se sabía la verdad. Amparo se hallaba detrás de la barra, le regaló una sonrisa y le ofreció un café.

—¡Dormiste mucho! Es la una . . .

—¿Dónde están todos? —preguntó ella.

—Por ahí. Algunos salieron para ver si había huelga —contestó Amparo, con aire maternal.

—Descubrí que Marcelo corteja a Juanín. Es él quien hace los escándalos nocturnos —le dijo Consuelo para vengarse.

Estaba harta de que todos la engañaran. Entre todos asesinaron a su familia y le robaron hasta el nombre. Recordó al relojero y sus insinuaciones groseras. En cambio, todos cubrían a Marcelo, que se acostaba con Juanín. Y encubrían a los asesinos de sus tíos. Amparo no se inmutó, la miró con indulgencia.

—¿Se acuesta con Juanín? No lo noté nunca —y se echó a reir.

"¡Fabuloso! Nadie nota nada . . .", pensó Consuelo. Lo único que notaban todos era que ella había vuelto.

"En España no sucede nunca nada", era el lema de Amparo y ahora no "sucedía" el marica. Si preguntaba por la huelga le dirían lo mismo. Se volvió a mirar a la calle y descubrió a un guardia en la acera de enfrente.

94

No hizo comentarios, continuó charlando con Amparo en el solitario bar. El hostal también aparecía desierto.

El comedor mostraba sus mesas de manteles manchados, desiertas, y de la calle no llegaban ruidos. La luz del mediodía iluminaba aquella estancia enorme, en la que Amparo y Perico ocupaban su lugar habitual, muy cerca de Consuelo. Perico se ató la servilleta al cuello y entre bocado y bocado entabló un diálogo con ella, llevado de mesa a mesa.

—Le digo que en este mundo no cuenta el arte, cuenta sólo el dinero —afirmó Perico, con la boca llena. Ella guardó silencio, recordó que había sido músico de charanga.

—Para los artistas la única ciudad que existe es Nueva York. Allí respetan al artista —continuó el hombre, sin dejar de masticar.

Consuelo no supo si le hablaba en serio. Amparo no se inmutó, ocupada como estaba en chupar los huesos grasientos de un pollo asado. Las palabras de Perico carecían de sentido en aquel comedor abandonado y aquel día señalado para una huelga general. Perico se exaltó.

—¡No puede usted negar que en Nueva York están los mejores artistas del mundo! —dijo, subiendo la voz.

Quizás, sólo trataba de hacerla decir que América era mejor que España. Recordó que Perico se había confesado revolucionario y le había referido las torturas sufridas por su hermano a manos de los Nacionales. Se cuidó de decirle que su difunto hermano trabajó toda su vida en el Ayuntamiento. Miró a su anfitrión con desconfianza y éste insistió.

—¿Acaso Rubinstein no es de Nueva York?

Consuelo negó con la cabeza y Perico se empeñó en llevar adelante la conversación.

—Rubinstein es norteamericano. El próximo mes tocará en Oviedo . . . ¡Mire la invitamos a que venga con nosotros al concierto!

Perico decía cualquier cosa, deseaba llenar un espacio vacío en el que se preparaban cosas oscuras, palabras sin sentido. Amparo sonrió: su pobre hermano soñaba con la llegada de los grandes artistas. El arte era la razón de su vida.

—Perico fue un gran músico, tocaba el piano, pero lo abandonó . . . —dijo con tristeza.

—¡Sí, abandoné la música! No da para comer. ¡No produce pasta! Y en este mundo todo es dinero, dinero, dinero. Yo formé una orquesta ¿y para qué sirvió? Para nada, ahora cuido el hostal.

Perico levantó los brazos e hizo como si dirigiera una orquesta, la batuta era un tenedor. Señaló hacia un rincón y Consuelo descubrió un piano viejo que demostraba las pretensiones artísticas de Perico y su familia. Quiso reir, pero el individuo, con el tenedor empuñado, la boca llena y la palabra música en la lengua, le produjo miedo. Conocía muy bien a aquel tipo de personas que se escudaban en "el arte" para cometer sus crímenes. Amparo notó su desconfianza.

—Toca algo, Pedro —le pidió a su hermano.

Perico dejó de dirigir la imaginaria orquesta y empuñó el tenedor con un gran trozo de carne.

—¡La música no da para esto! ¡La carne nuestra de cada día! —exclamó y bebió un vaso de vino.

Amparo insistió para que su hermano tocara algo en el piano. Perico obedeció sus órdenes. Se levantó, abrió el piano y empezó a tocar algunos aires banales en aquel viejo instrumento desafinado. Consuelo lo observó, con la servilleta atada al cuello y masticando todavía, tocaba las teclas con torpeza. Su hermana escuchaba con aire preocupado. Se diría que le interesaba más lo que pensaba Consuelo que la música de su hermano. Por su parte, Consuelo recordaba a Manolo: "Tenía una charanga, eran dos borrachos, nunca dieron un golpe. . ." ¿Y si sólo fuera una fábula infantil de su amigo? Le costaba trabajo aceptar tanto disimulo y recordó a Elvira. Era mejor evitar los ojos espesos de Amparo. Escuchó decir a Pedro:

—Si habré bailado yo. . . creo que pasé la vida bailando. Antes éramos más alegres, las chicas eran más guapas; creo que hemos perdido algo . . .

—¡Se han perdido tantas cosas! —suspiró Amparo.

—Mire a los chicos de ahora, buscando huelgas y tonterías —agregó Perico.

—Antes también buscaban huelgas y tonterías —corrigió Consuelo.

—Sí, pero las ideas eran más claras. Yo, por ejemplo, era republicano y luché por . . . los Nacionales. Mi hermano era republicano y luchó por los republicanos.

—Así no podían equivocarse —dijo Consuelo, en voz alta.

Perico cerró el piano, Amparo recogió los platos y sin decir palabra abandonó el comedor solitario seguida por su hermano.

Consuelo recordó a Severina y subió a su cuarto, levantó la persianas y miró la calle. El "Saltillo" estaba abierto y nadie había roto sus ventanas. No vio ningún automovil estacionado en la calleja lateral. La tarde estaba demasiado tranquila. Vio pasar a dos jóvenes arrojando octavillas y notó que desde la ventana del edificio de enfrente la observaba una mujer en bata. Se inclinó para ver la esquina opuesta y descubrió la figura enlutada de Ramona, recortada en la resplandeciente luz como un viejo cuervo enorme. Ramona la espiaba desde la saliente de un muro blanco. Al verse descubierta se ocultó con rapidez. "Tú y tu hermano ahorcaron a mi tío", se dijo Consuelo, y prometió vengarse. Bajaría inmediatamente a decírselo a Amparo. La encontró charlando con Rosa, ambas parecían preocupadas y hablaban en voz baja. "¡Se lo diré a Ramona!", se dijo y se echó a la calle en busca de la vieja.

Al llegar a la esquina en la que estaba apostada la mujer, no encontró a nadie. Ramona había desaparecido.

Dio unos pasos y descubrió a Gil en la puerta de entrada de la casa de Ramona. El hombre, se introdujo y cerró la puerta tras de sí. "Estarán planeando su crimen" pensó Consuelo, y se alejó con paso rápido. El pueblo permanecía silencioso, los comercios estaban abiertos y vacíos. Recordó a Amparo: "En España nunca pasa nada". ¡Era verdad! Salió al camino en cuesta que llevaba a la Capilla de San Antón. Iría al cementerio a buscar las tumbas familiares. Vio bajar al padre Antonio, muy viejo, con la sotana tan usada que amenazaba con caérsele a trozos. Quiso pedirle confesarse, pero también el sacerdote la miró con desconfianza y se alejó. ¿Qué sucedía? Se sentó sobre una piedra, al cabo de unos segundos temió que alguien contemplara su derrota y volvió al pueblo.

Se acercó a la estatua de Don Pelayo, que ignoraba que era fascista, para leer la inscripción. En ese momento tres jovencitos se acercaron a ella, le lanzaron unas octavillas y ordenaron:

—¡Grita viva el comunismo!

—No puedo ¡soy contacto! —contestó muy seria.

Los muchachos le dieron una octavilla que llamaba a la huelga y a la solidaridad y se alejaron. ¡Solidaridad! Era sólo una palabra, ella nunca estuvo tan sola y aquella palabra escrita en letras gruesas la dejó atónita. Absorta en la palabra "Solidaridad" no notó cuando se le acercaron dos guardias.

—¿Podemos ver ese papel?

Los guardias echaron un vistazo a la octavilla y la dejaron caer; el papel voló unos instantes por el aire antes de caer a los pies de la estatua de Don Pelayo.

—Usted viene de México.

—Sí, de México.

La despidieron con un gesto y se alejó de ellos preocupada. La tarde era fría, amenazaba lluvia, el hielo se alejaba de los picos de las montañas y el pueblo continuaba vacío. Caminó sin rumbo y al cabo de un rato se encontró en el café de los choferes. El café estaba lleno de clientes que hablaban en voz alta. Buscó una mesa oculta por el humo producido por los cigarrillos y abandonó su bolso sobre una silla vacía. Así, pensarían que esperaba a alguien. Bebería un café. En España lo único que hacía era beber café. Se acercó el camarero.

—Un café.

El hombre se alejó y ella trató de aparecer indiferente en su soledad. Apenas había probado la bebida cuando entraron tres jóvenes de barba crecida que lanzaron unas octavillas. Manolo entró tras ellos como una centella y gritó: "¡Fascistas!" Los hombres se volvieron a él y se echaron a reir. Uno contestó: "¡Viva la República!" Manolo se acercó a la mesa de Consuelo, se llevó la mano a la frente en señal de saludo y anunció:

—¡Jornada de lucha!

Después, giró sobre sus talones y abandonó el local. "Es un iluso", se dijo Consuelo, observando la salida impetuosa del muchacho. Encendió un cigarrillo y de repente escuchó la voz de Gil que gritaba a su lado.

—¡Mire lo que trae en el bolso!

Consuelo vio que la mano de Gil sostenía una especie de fruto de color ladrillo.

—¡Una granada! —exclamó el camarero.

—¡Imbécil! Eso no es mío. No me gusta esa clase de bromas —contestó ella, rechazando con la mano los dedos en forma de espátula que sostenían la granada a la altura de sus ojos.

Ante la impasibilidad acusadora de Gil y la expectación de los parroquianos, recogió su bolso abierto, pagó la cuenta y abandonó el café. Todos los clientes la miraron atemorizados, mientras el camarero continuaba con la boca abierta por la sorpresa.

En la calle no se detuvo frente al hostal, necesitaba serenarse. Estaba turbada por la broma siniestra de Gil y caminó sin rumbo pensando en lo que le había dicho Severina. Sí, existía un peligro . . . Parecía todo demasiado tranquilo, la calma antes de que empiece una tormenta. "Te van a acusar de algo" le dijo Severina, y ya lo habían hecho: " ¡La granada!" Era absurdo, Gil le mostró aquella arma delante de los clientes del café, eso no significaba nada. . . o tal vez que pensaba organizar un atentado. No estaba deprimida y tenía miedo. Continuó caminando, era más prudente no estar al alcance de Amparo y de Perico. ¿Por qué estaba tan abandonado el hostal? Eran ellos los que habían ocultado a Elvira y eran ellos los que habían llamado a Pablo y a Ramona. Notó que le temblaban las rodillas, el miedo la ensordecía y continuó dando vueltas como las mulas en las norias. En el pueblo no había ningún escondrijo, sólo le quedaba la cárcel; pero ¿cómo dirigirse allí? Creyó ver a Ramiro en el interior del Banco cuando pasó junto a sus ventanas de cristal. "Es ridículo. . . los Bancos no abren en la tarde y además hay huelga", se dijo y siguió caminando. "¿Dónde estará Manolo? . . ." se vio en la callejuela lateral del Banco, daba vueltas en redondo y tuvo la extraña sensación de que Manolo, ¡su amigo! había entrado por la puertecita de salida del Banco en el que trabajaba Ramiro. Manolo también la había engañado. "Es normal . . . muy normal . . .", y caminó rumbo a casa de su tío José Antonio. "¿Por qué iba a ser amigo mío . . .?" Su tío había muerto, no estaba en su casa, pero le pediría protección, después de todo había venido en su busca. El enorme portón continuaba cerrado y nunca más lo cruzaría. Sobre él, labradas en la piedra y a la luz del oscurecer, leyó las iniciales J. A. V., y sintió un alivio; aunque Gil negara su existencia y el pueblo callara, la piedra fiel confirmaba que tenía familia: J. A. V., volvió a leer y a releer. La conmovió la muda compañía de la piedra oscureciéndose en las últimas luces de aquel día extraño y recordó los verdes encerrados en los ojos de su tío y el calor de su salón en el que ahora estaba la farmacia. Desde allí, ella contemplaba el puente romano, las brumas y las flores e imaginaba los huertos que había del otro lado del río. La tarde caía con gran velocidad y las brumas se levantaron ligeras de la corriente invisible y olorosa a hierbas. Contempló el puente romano que comenzaba a volverse oscuro y le apeteció cruzarlo. Lo haría después, primero iría a la casa junto al río, en donde jugó de niña, entre las rosas, los manzanos, los castaños y los lirios. Llegó a ella, quieta y tranquila como una gran rosa marchita, con las rejas despintadas y el jardín abandonado sepultado en las primeras sombras. Fue entonces cuando escuchó la explosión. "¡Se voló el imbécil!", se dijo y pensó en Gil y en su granada de mano. Se asió a las rejas para contemplar la casa quieta. La capilla era un almacén en que guardaban granos. Se preguntó por el destino que habían sufrido los ángeles, las vírgenes, y recordó los reclinatorios de madera negra y terciopelo rojo. No podía entrar, también la Capilla estaba cerrada. A ella la habían expulsado de todo lo que amaba: familia, casa, pueblo. Sólo le interesaban las sombras luminosas y trágicas de sus tíos, que a esa hora del oscurecer cobraban rasgos transparentes. Asida a las rejas contempló la casa inaccesible y lejana, tan lejana como el Paraíso. Escuchó los gritos y se volvió: algunas gentes avanzaban corriendo hacia ella por en medio de la calzada iluminada por la farolas. "Sucedió algo . . .", se dijo asustada. Escuchó un grito:

—¡Volaron el Banco!

Las gentes se acercaban a ella y Consuelo avanzó a su encuentro y ante su asombro, todas se detuvieron en seco. No pudo descubrir ningún rostro, salvo el del relojero, cuyas gafas verdes despedían destellos. Se quedó estupefacta.

—¡Avisen a los guardias!. . . ¡Está aquí! —gritó la voz terrible de una mujer.

—¿Qué sucede? —preguntó a gritos Consuelo.

¡Asesina! ¡Murió Manolo en la explosión! —le contestaron con ferocidad.

Consuelo reculó aterrada y la gente avanzó hacia ella. Recordó a Manolo entrando en el Banco . . . "Alguien le dio cita allí . . . ¡El era el testigo! El era el detective del pasado. . . Severina dijo: ¡te van a poner una trampa!. . . Sí y la trampa incluía a Manolo. . .: ¡Lo mataron. . .! Lo mataron!" Vio que atrás venían corriendo más personas en medio de la oscuridad del final de la tarde y dio la media vuelta y echó a correr desaforada. Pasó frente a la casa de su tío José Antonio y escuchó tras ella un trote furioso de cabalgata y recordó el carricoche, a los dos enlutados y a los dos huérfanos corriendo entre ráfagas de lluvia nocturna, le pareció que eran Manolo y ella. La gente amenazaba alcanzarla.

—¡Guardia! . . . ¡Guardia, que se escapa! —pensó reconocer a la voz de tic-tac del relojero.

Torció hacia la izquierda, a unos metros estaba el puente romano. Si lograba cruzarlo llegaría al otro lado, al país de las brumas, los huertos de manzanos, los senderos de helechos y los macizos de rosas y huiría para siempre de sus perseguidores. Alcanzó el puente y subió para avanzar sobre sus piedras resbaladizas cubiertas de yerbas olorosas. Empezaba a dar el primer paso para descender su curva y llegar al otro lado, cuando escuchó la voz que la llamó la primera noche: "¡Consuelo! . . . ¡Consuelo!". Dudó un segundo y se detuvo. Entonces, alguien le dio un golpe en la espalda. Pensó que caía y que las voces y los pasos cesaban. Arriba de ella estaba el cielo cada vez más alto, sus bóvedas de azules oscurísimos se abrían en vetas de azul claro, clarísimo. ¡Se había salvado! Bajó el puente y entró a la casa de su tía Adelina.

En el salón los candiles de cristal lucían encendidos y las sedas amarillentas de los muebles brillaban con destellos cegadores. Su tía levantó la vista del bordado y sonrió. Consuelo ignoraba que el esplendor de los colores fuera tan variado, cada color contenía todos los colores y sus matices se convertían en rayos de oro con vetas celestes. Avanzó sin esfuerzo, como si avanzara en cámara lenta. Su tía avanzó hacia ella también muy lentamente, casi flotando en su traje de seda gris igual al pecho de una paloma torcaz. El bastidor con el bordado quedó sobre el sofá como una luna olvidada. Por la gran puerta que conducía al fumador apareció su tío José Antonio, avanzando hacia ella muy despacio, muy despacio. Venía como siempre, vestido de negro y sus ojos parecían hojas de menta. . . Consuelo se acercó a la ventana, corrió un poco la cortina de seda y levantó apenas la cortina de muselina blanca y miró.

Afuera, en la noche, algunos brazos acercaban linternas a su cuerpo tirado en el puente romano. La gente que corría antes tras ella estaba quieta.

—¿Quién ha disparado?. . . ¿Quién ha disparado? —gritaban los guardias, mirando a los perseguidores que permanecían quietos en las sombras.

Consuelo se hallaba adentro del corazón tibio del oro, levantando apenas la cortina de muselina blanca, y desde allí vio a Ramona de pie, debajo de un manzano plantado a la orilla del río. Era una sombra oscura y sólo eran visibles sus ardientes ojos afiebrados. El agua casi no hizo ruido cuando recibió el revólver de la mano huesuda de la mujer del tricot negro. Consuelo sonrió, ahora nunca más aquella mujer oscura y terrible le haría daño, estaba dentro de la casa junto al río, a su lado se hallaban sus tíos y la casa resplandecía como un arco iris. ¡Estaba a salvo! ¿Acaso no había venido a España en busca de sus muertos . . . ?

Esta obra se terminó de imprimir
en julio de 1991 en
Avelar Editores Impresores, S.A.
Bismark 18,
México 13, D.F.

**La edición consta de 2,000 ejemplares.**